# Team Deutsch
## Deutsch für Jugendliche

## Arbeitsbuch

Ursula Esterl • Elke Körner • Ágnes Einhorn
Eva-Maria Jenkins-Krumm (Meilensteine)

Ernst Klett Sprachen
Stuttgart

# Das Symbol

 steht für Hören

 bedeutet, dass ihr zu zweit arbeitet

 bedeutet, dass ihr im Team arbeitet

 ist ein Signal für Grammatik

 ist ein Hinweis auf den Gemeinsamen europäischen Referenzrahmen für Sprachen

 **KB:** 2 zeigt, wie die Aufgaben zueinanderpassen

Denk dran!

begleitet euch im Kurs- und im Arbeitsbuch. Er zeigt euch wichtige Strategien und gibt euch nützliche Tipps und Tricks zum Deutschlernen.

1. Auflage    1   7   6   5   4   3   |   2013   2012   2011   2010   2009

Internet: www.klett.de

**Projektteam:** Enikő Rabl, Renate Weber, Eva-Maria Jenkins-Krumm
**Redaktion und Meilensteine:** Eva-Maria Jenkins-Krumm
**Redaktionelle Mitarbeit:** Juliane Aanen
**Beratung:** Evdokia Kallia, Barbara Ceruti, Dr. Kerstin Reinke, Herder-Institut Leipzig (Phonetik)
**Layoutkonzeption und Herstellung:** Katja Schüch
**Zeichnungen:** Paweł Miedziński, Poznań
**Fotos:** FotoStudio Leupold, Stuttgart; Gallandi. Studio für Foto-Design, Berlin
**Satz:** Regina Krawatzki, Stuttgart
**Druck:** Appl, Wemding • Printed in Germany

**ISBN** 978-3-12-675941-0

# Inhalt

# Meilensteine sammeln

## Reise durch Deutschland

Zeichne nach jedem erreichten Meilenstein deinen Reiseweg auf der Deutschlandkarte ein.

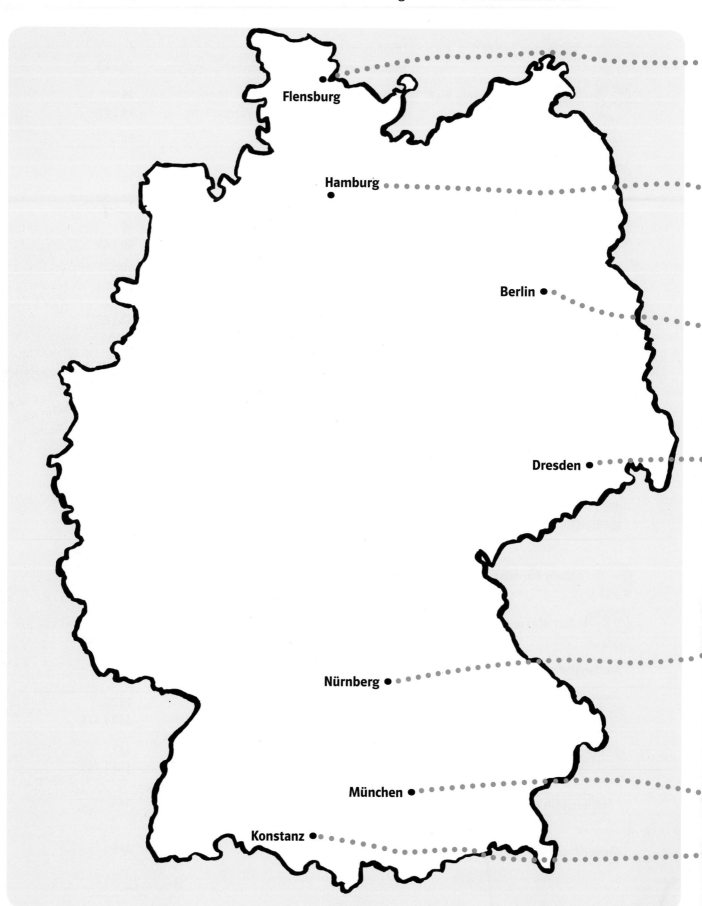

Flensburg liegt an der Ostsee. Hier gibt es viele schöne Strände.

Riesige Schiffe aus aller Welt laufen in den Hamburger Hafen ein.

Berlin ist die Hauptstadt von Deutschland. Vom Fernsehturm aus hat man einen herrlichen Blick über die Stadt.

Die Silhouette Dresdens am Ufer der Elbe ist weltberühmt.

Im Elbsandsteingebirge nicht weit von Dresden kann man tolle Klettertouren machen.

In der Altstadt von Nürnberg kann man gemütlich bummeln und Einkäufe machen.

Beim jährlichen Open-Air-Festival „Rock im Park" begeistern Rockgruppen aus aller Welt die Besucher.

Bei schönem Wetter sieht man von München bis zu den Alpen.

Konstanz liegt am Bodensee. Dort können Touristen eine Schifffahrt unternehmen.

Im Deutschen Museum werden wissenschaftlich-technische Experimente nachgestellt, hier der „Faraday'sche Käfig".

# 1 Hallo, wie geht´s?

## 1 Welche Wörter verstehst du? → KB: 1

**a** Hör die Situationen aus dem Kursbuch noch einmal. Welche Wörter hörst du? Markiere bitte.

**Situation 1**
- ☐ Radio (V)
- ☐ Internet (W)
- ☐ Cola (I)
- ☐ Passwort (D)
- ☐ Computer (E)
- ☐ Diskette (B)

**Situation 2**
- ☐ Sport (G)
- ☐ Fußball (A)
- ☐ Team (S)
- ☐ Physik (E)
- ☐ Basketball (H)
- ☐ Biologie (C)

**Situation 3**
- ☐ Disco (O)
- ☐ Party (T)
- ☐ Musik (S)
- ☐ Kassette (U)
- ☐ CD (M)
- ☐ Star (P)

**b** Ergänze die Buchstaben der Lösungswörter.

☐☐☐  ☐☐☐☐´☐ ?

**c** Welche Wörter in **a** verstehst du?

**d** Wie heißen die Wörter in deiner Sprache?

## 2 Buchstabenrätsel → KB: 2

Finde die Buchstaben. Schreib und lies die Sätze.

- ● H✤ll♥, F✿l✦x! ........................................
- ● Gr▲ß d✦ch, Th♥m✤s! ........................................
- ● W✦✿ g✿ht's? ........................................
- ● D✤nk✿, g◆t. ........................................
- ● G◆t✿n ✤b✿nd, Fr✤✦ R✿✦t✿r! ........................................

- ✤ = ...............
- ♥ = ...............
- ✿ = ...............
- ✦ = ...............
- ▲ = ...............
- ◆ = ...............

## 3 Hallo und tschüss! → KB: 4

Ordne die Ausdrücke den Bildern zu. Verbinde bitte.

Guten Morgen!
Hallo!
Tschüss!
Auf Wiedersehen!
Wie geht's?
Ciao!
Hi!
Grüß dich!

## 4 Was passt?

**a** Ergänze die Dialoge.

1. ● Ich heiße Thomas.
   ○ ...............................................

   ◗ Hallo, Thomas!
   ◗ Ich bin Thomas.
   ◗ Wer bist du?

2. ● Hallo, wie geht's?
   ○ ...............................................

   ◗ Guten Abend!
   ◗ Die Musik ist cool!
   ◗ Danke, sehr gut.

3. ● Auf Wiedersehen!
   ○ ...............................................

   ◗ Tschüss!
   ◗ Grüß dich!
   ◗ Guten Morgen!

**b** Hör die Dialoge. Sind deine Lösungen richtig?

## 5 Auf der Party

**a** Ordne die Dialoge.

1. 
   Hallo Jan! Wie geht´s?
   Sehr gut, danke! Und dir?
   Super! Die Party ist cool!

   ● ...............................................
   ● ...............................................
   ● ...............................................

2. 
   Ja, du!
   Wer, ich?
   Hi, ich bin Felix. Und wer bist du?
   Ich bin Sarah.

   ● ...............................................
   ● ...............................................
   ● ...............................................
   ● ...............................................

**b** Hör die Dialoge. Sind deine Lösungen richtig?

# 1 Hallo, wie geht´s?

**6** **Zahlen 1–11** → **KB:** 7

Such die deutschen Zahlen heraus. Schreib sie in die Fußballtrikots.

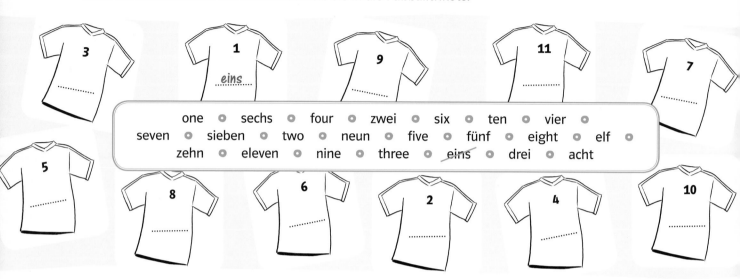

3 ............

1 *eins*

9 ............

11 ............

7 ............

| one ○ sechs ○ four ○ zwei ○ six ○ ten ○ vier ○ |
| seven ○ sieben ○ two ○ neun ○ five ○ fünf ○ eight ○ elf ○ |
| zehn ○ eleven ○ nine ○ three ○ ~~eins~~ ○ drei ○ acht |

5 ............

8 ............

6 ............

2 ............

4 ............

10 ............

**7** **Zahlen 10–20**

Schreib die Zahlen in Buchstaben.

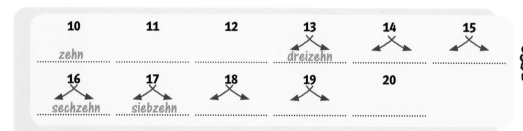

| 10 | 11 | 12 | 13 | 14 | 15 |
|----|----|----|----|----|----|
| *zehn* | ............ | ............ | *dreizehn* | ............ | ............ |

| 16 | 17 | 18 | 19 | 20 |
|----|----|----|----|----|
| *sechzehn* | *siebzehn* | ............ | ............ | ............ |

**Denk dran!**
Im Deutschen liest man die Zahlen von 13 bis 99 von rechts nach links.

**8** **Zahlen klopfen**

Zählt und klopft auf die Bank.

● eins, zwei, ........, vier

● eins, zwei, drei, ........, fünf

### 9 Zahlenschlange

Welche Zahlen findest du? Markiere bitte.

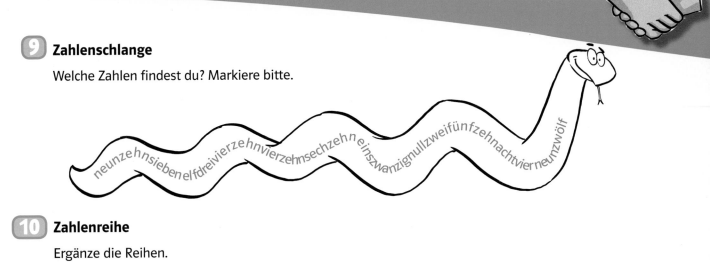

neunzehnsiebenelfdreivierzehnvierzehnsechzehneinszwanzignullzweifünfzehnachtvierneunzwölf

### 10 Zahlenreihe

Ergänze die Reihen.

1. __drei__ | _____ | __neun__ | _____ | __fünfzehn__ | _____
2. __neunzehn__ | _____ | __dreizehn__ | _____ | __sieben__ | _____
3. _____ | __vier__ | _____ | __zehn__ | _____ | __sechzehn__
4. _____ | _____ | __zwölf__ | __acht__ | _____ | __null__

### 11 Zahlen und Buchstaben

Hör zu und schreib die Zahlen auf.

1. _____  2. _____  3. _____  4. _____  5. _____  6. _____

### 12 Karolina im Internetcafé  ➡ KB: 8

**a** Ordnet die Dialogteile und schreibt den Dialog ins Heft.

- Guten Tag!
- Hallo!

**b** Spielt den Dialog.

Wie ist dein Name?

Und dein Familienname?

Hallo!

Karoline, okay.

Ja. Zuerst zwei, drei Informationen, bitte!

Obermeyer, gut. Dein Platz ist Nummer 11. Dein Passwort ist: ZA 3.

Karolina.

Ist ein Computerplatz frei?

Okay.

Platz 11, ZA 3. Danke.

Nein, Karolina. K-A-R-O-L-I-N-A.

Guten Tag!

Obermeyer. O-B-E-R-M-E-Y-E-R.

# 1 Hallo, wie geht´s?

**13** **Wie heißt das Passwort von ...?**

**a** Verbinde Name und Passwort.

 **b** Fragt und antwortet.

- Wie heißt das Passwort von Monika?
- Das Passwort von Monika heißt ...
- Buchstabiere bitte!
- ...

**14** **Ein Schüler stellt sich vor** ➡ **KB:** 10

Füll bitte das Formular aus.

| Name: | |
|---|---|
| Alter: | |
| Wohnort: | |
| Land: | |
| Beruf: | |
| Hobbys: | |

Ich heiße Niklas Sommer. Ich bin 14. Ich bin Schüler. Ich komme aus Deutschland, ich wohne in Weimar. Ich mag Comics und Computerspiele.

**15** **Eine E-Mail von Lena** → KB: 11

Lena aus Österreich schreibt eine E-Mail an Judit aus Ungarn. Ergänze die Verben.

```
E-MAIL SCHREIBEN                                                    ?

Hallo Judit!
Ich suche eine Brieffreundin. Ich ........................................ Lena und ich
........................................ aus Österreich. Ich ........................................ in Wien.
Ich ........................................ 14 Jahre alt, und du?
Ich ........................................ Popmusik und Sport.
Bitte schreib mir bald!
Lena
```

**16** **Deine E-Mail an Lena**

Antworte Lena bitte.

........................................................................................................

........................................................................................................

........................................................................................................

> Name
> Alter
> Land
> Wohnort
> Hobbys

**17** **Wer ist das?** → KB: 13

**a** Ergänze die Texte.

| Name: | **Franka Potente** |
|---|---|
| Alter: | 33 |
| Land: | Deutschland |
| Wohnort: | Berlin |
| Hobbys: | Freunde, Sport |
| Beruf: | Schauspielerin |

Sie heißt ........................................ . Sie kommt
aus ........................................ und wohnt in
........................................ . Sie ist ........................................
Jahre alt. Sie ist ........................................ und sie mag
........................................ und ........................................ .

| Name: | **Heinz Janisch** |
|---|---|
| Alter: | 47 |
| Land: | Österreich |
| Wohnort: | Wien |
| Hobbys: | Bücher, Reisen |
| Beruf: | Autor von Jugendliteratur |

Er heißt ........................................ . Er kommt
aus ........................................ und wohnt in
........................................ . Er ist ........................................
Jahre alt. Er ist ........................................ und er mag
........................................ und ........................................ .

**b** Wähl eine Person. Beschreib sie.

| Name: | ........................................ | ........................................ |
|---|---|---|
| Alter: | ........................................ | ........................................ |
| Land: | ........................................ | ........................................ |
| Wohnort: | ........................................ | ........................................ |
| Hobbys: | ........................................ | ........................................ |
| Beruf: | ........................................ | |

**18** **Wer? Wie? Was?**

Ergänze bitte die Fragen.

1. ........................ heißt du? ◦ Claudia.
2. ........................ geht's? ◦ Super!
3. ........................ bist du? ◦ Ich bin Erik.
4. ........................ bitte? Buchstabiere bitte!
5. ........................ suchst du? ◦ Informationen über Bayern München.
6. ........................ spielst du gern? ◦ Fußball und Tennis.

**19** **So schreibe ich das richtig!**

Ergänze die Buchstaben.

1. Grü........ dich! Wie hei........t du? Wa........ ist dein Pa........wort?

2. W........h........ßt du? Buchstab........re bitte.

3. ◦ Guten M........rgen!
   ◦ Gr........ß dich! W........her k........mmst du?
   ◦ Aus K........ln.
   ◦ Ich w........hne in M........nchen.

s    ss
ß

ie
ei

o    ü    ö

**20** **Ich komme, du . . .**

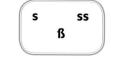

Ordne bitte die Verbformen zu.

spielt ◦ heißt ◦ kommst ◦ ~~suche~~ ◦ ist ◦ wohne ◦
bin ◦ suchst ◦ heiße ◦ bist ◦ heißt ◦ kommt

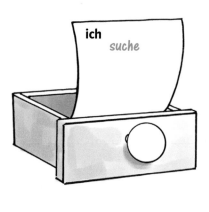

ich
*suche*

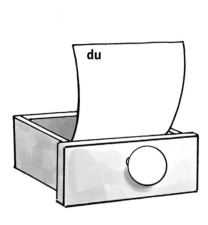

du

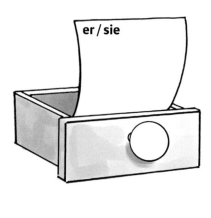

er / sie

**21** **Was fehlt?**

Ergänze die Endungen.

> 1. Sie heiß........... Anja.
> 2. Thomas spiel........... gut Tennis.
> 3. Du wohn........... in Madrid.
> 4. Ich such........... Informationen im Internet.
> 5. Wie heiß........... du?
> 6. Ich spiel........... gern Fußball.
> 7. Hannes wohn........... in Deutschland.

**22** **Ich, du, er, sie?**

Ergänze bitte die Sätze.

> 1. Sabina kommt aus Zürich. ........... ist
>    14 Jahre alt.
> 2. Wie alt bist ...........?
> 3. Das ist Paul. Wo wohnt ...........?
> 4. Hallo, ........... bin Elke. Wie heißt ...........?

> 5. Anna ist neu in der Klasse. ........... kommt
>    aus Berlin.
> 6. ........... bin in Klasse 8c.
> 7. Oliver ist Musiker. ........... spielt sehr gut
>    Gitarre.

**23** Sprechtraining: **Sprechmelodie** ➲ KB: 10, 15

**a** Hör zu. Steigt oder fällt die Sprechmelodie? Oder bleibt sie gleich? Markiere mit ➜, ➚ oder ➘ .

> ● Hallo, (➜) Monika! (➘)
> ● Hallo, ( ) Max! ( ) Wie geht's? ( )
> ● Sehr gut, ( ) danke. ( ) Und dir? ( )
> ● Auch gut, ( ) danke. ( )
> ● Was suchst du im Internet? ( )
> ● Ich suche Informationen über die Band „Juli". ( )

**b** Hör noch einmal. Brumm die Sätze nach.

# **1** Meine Grammatik

**Verben und Personalpronomen**

Füll die Karten aus. Mal dich und die anderen.

### Das bin ich!

| Ich | heiß | e | ............................... |
|-----|------|---|---------------------------------|
| | komm | e | aus ........................ |
| | wohn | e | in ........................... |
| | spiel | e | gern ...................... |

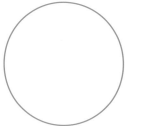

Ich **bin** ...........................
(dein Name)

### Das bist du!

| Du | heiß | t ❶ | ............................... |
|-----|------|-----|---------------------------------|
| | komm | st | ............................... |
| | ........ | ........ | ............................... |
| | ........ | ........ | ............................... |

Du **bist** ...........................

### Das ist dein Lehrer / deine Lehrerin!

| Er/ Sie | ........ | ........ | ............................... |
|---------|----------|----------|---------------------------------|
| | ........ | ........ | ............................... |
| | ........ | ........ | ............................... |
| | ........ | ........ | ............................... |

Das **ist** Frau ...........................
oder:
Das **ist** Herr ...........................

## Verbtabelle (1)

Schreib die Personen-Endungen in die Kästchen.

| | kommen | wohnen | spielen |
|---------|--------|--------|---------|
| **ich** | komme | wohne | spiele |
| **du** | kommst | wohnst | spielst |
| **er / sie** | kommt | wohnt | spielt |

**Endungen**

aber: heißt

# Mein Wortschatz

### Freunde

**a** Wie heißen die Wörter in deiner Sprache?

| Deutsch | deine Sprache | Englisch |
|---|---|---|
| Name | | |
| Nummer | | |
| Hobby | | |
| Computer | | |
| Gitarre | | |
| Internet | | |
| Tennis | | |
| Party | | |
| | | |
| | | |

**Sei schlau!** Andere Sprachen können helfen.

**b** Weißt du, wie die Wörter auf Englisch heißen? Ergänze die dritte Spalte.

**c** Kennst du noch andere ähnliche Wörter?

### Mein Steckbrief

Ergänze bitte deinen Steckbrief.

**Gesucht!**

Vorname: ........................

Familienname: ........................

Alter: ........................

Wohnort: ........................

Land: ........................

Beruf: ........................

Hobbys: ........................

### Meine drei Lieblingswörter

1. ........................
2. ........................
3. ........................

# 2 Was ist in der Schule los?

**1** **Wo bin ich?** ➲ **KB:** 1

Welcher Satz passt zu welchem Foto? Ordne bitte zu. (Drei Sätze passen nicht.)

> Ich mag Kakao. ◉ Ich lerne Deutsch. ◉ Ich lerne Vokabeln. ◉ Ich spiele Theater. ◉
> Ich spiele Fußball. ◉ Ich buchstabiere „Tschüss". ◉
> Ich mag Sport. ◉ Ich schreibe eine E-Mail. ◉ Ich bin ein Fußballfan.

1. .........................................................................................
2. .........................................................................................
3. .........................................................................................

1. .........................................................................................
2. .........................................................................................
3. .........................................................................................

**2** **Wörterschlange** ➲ **KB:** 3

Welche Wörter sind hier versteckt? Markiere bitte.

**a** Was ist in der Schultasche? (8 Objekte)

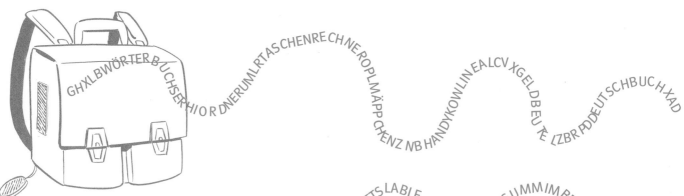

**b** Was ist im Mäppchen? (7 Objekte)

**c** Notiere die Wörter mit dem Artikel. Ein Wort ist feminin. Welches?

.........................................................................................
.........................................................................................
.........................................................................................

## 3 Dein Klassenzimmer

Was ist in deinem Klassenzimmer? Frag auch deinen Lehrer / deine Lehrerin. Mach eine Wörterliste.

**Wie heißt das auf Deutsch?**

**Buchstabieren Sie bitte.**

● Im Klassenzimmer ist ...

| ein | eine |
|---|---|
| ............................... | ............................... |
| ............................... | ............................... |

## 4 Mein Rucksack – deine Schultasche  → KB: 4

Ergänze *mein / meine, dein / deine* wie im Beispiel.

**deine Schultasche**

**mein Rucksack**

**ein Wörterbuch**

**ein Vokabelheft**

1. Das ist _mein_ Rucksack und das ist _deine_ Schultasche.
2. Das ist ............... Wörterbuch und das ist ............... Vokabelheft.
3. Das ist ............... Schere und das ist ............... Lineal.
4. Das ist ............... Bleistift und das ist ............... Kuli.
5. Das ist ............... Spitzer und das ist ............... Radiergummi.
6. Das ist ............... CD und das ist ............... Kassette.
7. Das ist ............... Geldbeutel und das ist ............... Handy.

**eine CD**

**eine Kassette**

## 5 Wie heißt das auf Deutsch?

Formuliere Fragen und Antworten.

1. _Heißt das auf Deutsch „Tisch"?_  ▶ Nein, _das ist eine Tafel._ ...............

2. ............................................. ▶ Ja, .............................................

3. ............................................. ▶ Nein, .............................................

4. ............................................. ▶ Ja, .............................................

5. ............................................. ▶ Ja, .............................................

6. ............................................. ▶ Nein, .............................................

7. ............................................. ▶ Nein, .............................................

# 2 Was ist in der Schule los?

**6** **Was passt?**

**a** Ergänze bitte die Dialoge.

1. ● Ist das dein Spitzer?

   ● ..........................................

   ○ Ja, das ist ein Spitzer.
   ○ Ja, das ist mein Spitzer.
   ○ Wo ist mein Spitzer?

2. ● Wo ist mein Handy?

   ● ..........................................

   ○ Das ist ein Handy.
   ○ Mein Handy ist im Rucksack.
   ○ Ist das dein Handy?

3. ● Hier ist eine Landkarte!

   ● ..........................................

   ○ Nein, das ist mein Englischbuch.
   ○ Ist das eine Landkarte?
   ○ Das ist meine Landkarte!

**b** Hör die Dialoge. Sind deine Lösungen richtig?

**7** **Ein Lieblingsraum** ➡ **KB:** 5

Hör noch einmal den Text. Was ist richtig? Was ist falsch? Kreuz bitte an.

|  | richtig | falsch |
|---|---|---|
| 1. Im Labor ist auch eine Tafel. |  |  |
| 2. Frau Keidel schreibt viel. |  |  |
| 3. Frau Keidel macht keine Experimente. |  |  |
| 4. Auf dem Tisch ist ein Mikroskop. |  |  |
| 5. Auf dem Tisch ist keine Flasche und kein Ordner. |  |  |
| 6. Alle warten auf eine Explosion. |  |  |

**8** **Was ist im Rucksack? Was ist in der Schultasche?**

Schreib die Namen von acht Gegenständen in den Rucksack. Dein Partner / Deine Partnerin schreibt andere Wörter in die Schultasche. Frag und antworte. Streich gefundene Gegenstände durch. Wer hat mehr Wörter erraten?

Ist im Rucksack eine Schere?

Ja, im Rucksack ist eine Schere.

Ist in der Schultasche eine Schere?

Nein, in der Schultasche ist keine Schere.

**9** **Was machst du? Was suchst du? Was lernst du?**

Ordne bitte die Wörter zu. Manche Wörter passen mehrmals.

> Theater ○ ein Experiment ○ eine CD ○ Vokabeln ○
> eine Information im Internet ○ Musik ○ Gitarre ○ Deutsch ○ ein Passwort ○
> Basketball ○ Sport ○ ein Wort im Wörterbuch ○ Englisch ○ Dialoge

| machen | spielen | suchen | lernen |
|--------|---------|--------|--------|
| ............ | ............ | ............ | ............ |
| ............ | ............ | ............ | ............ |
| ............ | ............ | ............ | ............ |
| ............ | ............ | ............ | ............ |

**10** **Das Lieblingsfach von Karolina** ➲ **KB:** 7

**a** Welche Fächer zeigen die Symbole? Lös bitte das Kreuzworträtsel.

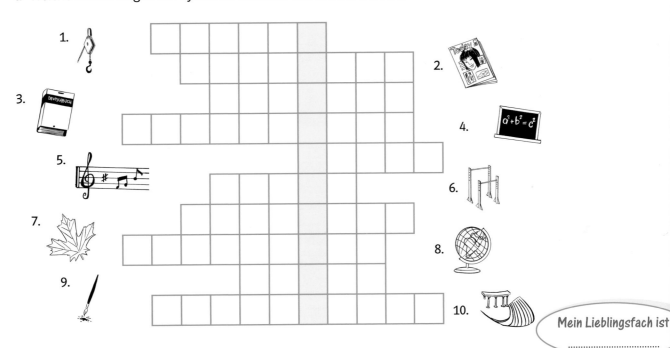

**b** Lies die markierten Buchstaben von unten nach oben und ergänze den Satz.

Mein Lieblingsfach ist
.............................

**11** Sprechtraining: **Wortakzent**

🎧 1 / 22

**a** Hör bitte die Wörter. Welche Silbe ist betont? Markiere den Vokal in der betonten Silbe.

**b** Was fällt dir auf? Lies die Wörter und ergänze die Regel.

Tasche ○ Schere ○ Bleistift ○ Rucksack ○
Tafel ○ Kreide ○ Mäppchen ○ Ordner
○ Hobby ○ Internet

Lineal ○ Mikroskop ○ Biologie ○
Geografie ○ Chemie ○ Mathematik ○ Religion
○ Musik ○ Physik

Der Wortakzent ist auf der ............ Silbe.

Der Wortakzent ist auf der ............ Silbe.

# 2 Was ist in der Schule los?

## 12 Fehlerteufel

Alles falsch! Wie ist es richtig? Markiere die Fehler. Schreib die Wörter neu in die Kalenderblätter.

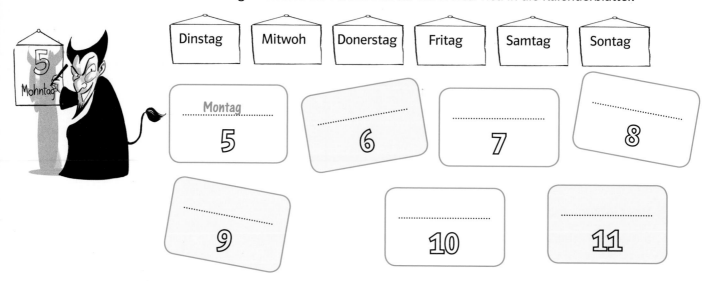

| Dinstag | Mitwoh | Donerstag | Fritag | Samtag | Sontag |

```
Montag
  5
```

```
...........  6
```

```
...........  7
```

```
...........  8
```

```
...........  9
```

```
...........  10
```

```
...........  11
```

## 13 Michaels Stundenplan ➡ KB: 8

Lies bitte den Stundenplan und beantworte die Fragen.

| Zeit | Montag | Dienstag | Mittwoch | Donnerstag | Freitag | Samstag |
|------|--------|----------|----------|------------|---------|---------|
| | Italienisch | Religion | Deutsch | Musik | Deutsch | |
| | Geschichte | Chemie | Englisch | Mathematik | Englisch | f |
| | Deutsch | Deutsch | Geografie | Physik | Religion | r |
| | Chemie | Italienisch | Biologie | Sport | Mathematik | e |
| | Mathematik | Englisch | Kunst | Geschichte | Biologie | i |
| | | Kunst | Geografie | Italienisch | | !!! |
| | Sport | | | | | |
| | Sport | | | | | |

1. Wann hat Michael …

| Deutsch? | Am Montag, am Dienstag, am Mittwoch und am Freitag. |
|----------|------------------------------------------------------|
| Mathematik? | |
| Sport? | |
| Kunst? | |
| … frei? | |

2. Wann hast du …

| Deutsch? | |
|----------|--|
| Englisch? | |
| Geschichte? | |
| Sport? | |
| … frei? | |

**14** **Super oder blöd?** ➜ **KB:** 9

Ordne bitte die Ausdrücke.

> super ● blöd ● cool ● nicht so gut ● voll langweilig ● toll ●
> interessant ● total blöd ● uninteressant ● ganz gut ● okay ●
> echt gut ● voll gut ● na ja ● es geht ● sehr interessant

| ☹ ☹ | ☹ | 😐 | ☺ | ☺ ☺ |
|---|---|---|---|---|
| .......... | .......... | .......... | *super* | .......... |
| .......... | .......... | *na ja* | .......... | .......... |
| | .......... | .......... | .......... | .......... |
| | | .......... | .......... | |

**15** **Aktivitäten** ➜ **KB:** 10

**a** Hier sind zehn Verben versteckt. Kannst du sie finden? Schreib sie auf.

| R | T | Z | R | Y | H | A | S | Ö | B |
|---|---|---|---|---|---|---|---|---|---|
| M | O | C | E | S | L | P | I | S | V |
| Z | E | I | C | H | N | E | N | C | Ü |
| M | D | F | H | I | G | H | G | H | T |
| A | G | N | N | R | S | Ö | E | R | A |
| P | M | X | E | T | U | R | N | E | N |
| C | A | H | N | X | I | E | K | I | Z |
| J | L | E | R | N | E | N | N | B | E |
| E | E | D | V | N | K | C | H | E | N |
| R | N | S | P | I | E | L | E | N | D |

..................................................
..................................................
..................................................
..................................................
..................................................
..................................................
..................................................
..................................................
..................................................
..................................................

**b** Schreib mit jedem Verb einen Satz wie im Beispiel.

*Ich rechne gern, du rechnest nicht so gern. (Oder: Du rechnest gern, ich rechne nicht so gern.)*

..................................................
..................................................
..................................................
..................................................
..................................................
..................................................
..................................................
..................................................
..................................................

**Pass auf!**
Achte auf die
besonderen
Formen:
du rechne**st**
du tan**zt**

# 2 Was ist in der Schule los?

**16 Fehlerhafte SMS** → **KB:** 14

Das automatische Schreibprogramm macht Fehler. Korrigiere bitte die SMS. Schreib die Sätze dann richtig.

1.

*Hallo!* ........................................

Haχo! Ich size Reie 12, Plaz 17. Ciao!

2.

........................................

Peter, ich bin hir unt wo bist du?

3.

Die Numer 6 ist supper! Wie heist er?

........................................

4.

........................................

Tol, das Spiel!!

**17 Wo? Woher?** → **KB:** 15

 Welches Fragewort passt? Wie heißt die Antwort? Lies zuerst die Beispiele und kreuz an.

Wo ist Pauline? ▸ **In** Österreich.

Wo ist Uwe? ▸ **Im** Computerraum.

Woher kommt Moritz? ▸ **Aus** Österreich.

| | Wo | Woher | | | Aus | In | Im | |
|---|---|---|---|---|---|---|---|---|
| 1. | ✕ | | ist Uwe? | ▸ | | | ✕ | Computerraum. |
| 2. | | | wohnst du? | ▸ | | | | Leipzig. |
| 3. | | | kommt Anita? | ▸ | | | | Deutschland. |
| 4. | | | ist dein Handy? | ▸ | | | | Rucksack. |
| 5. | | | bist du? | ▸ | | | | München. |
| 6. | | | kommst du? | ▸ | | | | Griechenland. |

**18 Wer? Was? Wie?**

 Stell bitte Fragen.

1. *Wer ist das?* ▸ Das ist Nadine.
2. ........................ ▸ Moritz spielt Theater, Sophie auch.
3. ........................ ▸ Ich heiße Franek.
4. ........................ ▸ Ich spiele gern Volleyball.
5. ........................ ▸ Er spielt Gitarre.
6. ........................ ▸ Sie ist 14.
7. ........................ ▸ Patrick malt Aquarelle.
8. ........................ ▸ Das ist ein Spitzer.
9. ........................ ▸ Ich finde dein Handy toll!

## 19 Fragen und Antworten

**a** Was passt zusammen? Verbinde bitte.

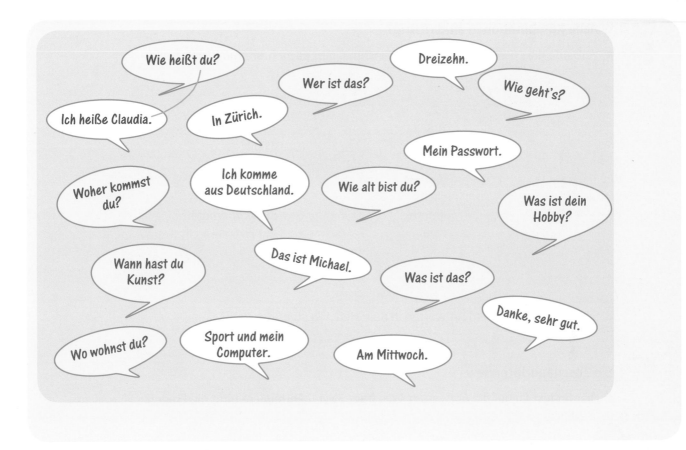

**b** Hör die Dialoge. Sind deine Lösungen richtig?

## 20 Sprechtraining: **Sprechmelodie**

**a** Markiere bei den Fragen und Antworten in Übung 19, ob die Melodie steigt ↗ oder fällt ↘.

**b** Was ist richtig? Streich das falsche Wort durch.

In den W-Fragen steigt / fällt (meistens) die Melodie.

In den Aussagesätzen steigt / fällt die Melodie.

**21** **Welche Kombinationen sind richtig?**

**a** Verbinde die passenden Elemente. Manchmal gibt es mehrere Möglichkeiten.

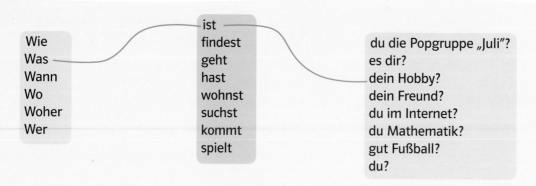

| Wie | ist | du die Popgruppe „Juli"? |
|---|---|---|
| Was | findest | es dir? |
| Wann | geht | dein Hobby? |
| Wo | hast | dein Freund? |
| Woher | wohnst | du im Internet? |
| Wer | suchst | du Mathematik? |
| | kommt | gut Fußball? |
| | spielt | du? |

**b** Schreib die Fragen und Antworten in dein Heft. Wo steht das Verb?

**22** **Ein Zuschauerinterview**

**a** Hier findest du nur die Antworten. Was fragt Sylvia? Formuliere bitte die Fragen.

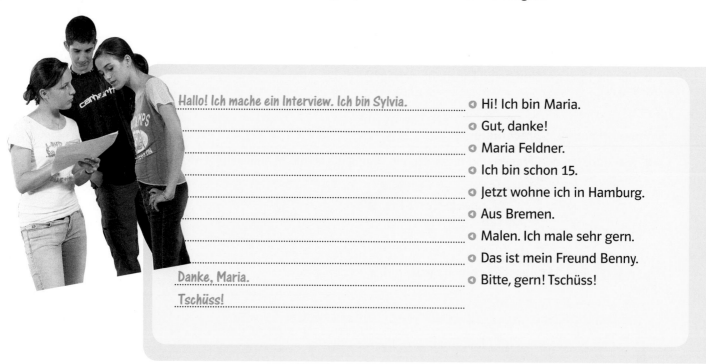

Hallo! Ich mache ein Interview. Ich bin Sylvia. ○ Hi! Ich bin Maria.

_____ ○ Gut, danke!

_____ ○ Maria Feldner.

_____ ○ Ich bin schon 15.

_____ ○ Jetzt wohne ich in Hamburg.

_____ ○ Aus Bremen.

_____ ○ Malen. Ich male sehr gern.

_____ ○ Das ist mein Freund Benny.

Danke, Maria. ○ Bitte, gern! Tschüss!

Tschüss!

**b** Spielt das Interview nach.

**23** **Im Tandem lernen** ➡ KB: 17

**a** Patrick schreibt eine E-Mail ohne Verben an Meltem. Kannst du Meltem helfen und die Lücken mit passenden Verben ergänzen?

> bin ◦ finde ◦ findest ◦ geht ◦ habe ◦ habe ◦ ist ◦
> machst ◦ mache ◦ macht ◦ suche ◦ schreibst ◦ spiele

E-MAIL SCHREIBEN        ?

Liebe Meltem,

ich ........................... im Computerraum und ...........................

Hausaufgaben ; –). Ich ........................... Informationen über die

Französische Revolution. Am Donnerstag ........................... ich Geschichte.

Ich ........................... Geschichte ganz interessant, und du? Wie

........................... du Geschichte? Am Mittwoch ist mein Lieblingstag, da

........................... ich Sport :–)). Mein Stundenplan ........................... ganz

okay, die Schule ........................... sogar Spaß! Ich ........................... jetzt in

der Schulband Gitarre, echt cool!

Wie ........................... es dir? Was ........................... du am Freitag?

........................... du mir?

Tschüss

Dein Patrick

**b** Gib dein Heft deinem Partner / deiner Partnerin. Korrigiert euch gegenseitig.

**24** **Moritz erzählt von seinem Nachmittag**

Markiere die Wortgrenzen. Schreib den Text neu in dein Heft.

LIEBEBEATA,
AMFREITAGGEHEICHINDIETHEATERGRUPPE.ICHFINDELI
TERATURECHTINTERESSANT.INDERGRUPPESINDVIELEM
ÄDCHENUNDDASISTSUPER.ICHSPIELEROMEO,MEINEFRE
UNDINSOPHIEISTJULIA.AMSAMSTAGKOMMTPUBLIKUM.
DASISTTOLL.KOMMSTDUAUCH?MORITZ

**Denk dran!**
Im Deutschen schreibt man Namen und Nomen groß.

Liebe Beata,
am ...

**Satzmuster**

Schreib die Sätze in die richtige Tabelle. Ergänze noch je ein Beispiel. Wo steht das Verb?

> Woher kommst du?

> Ich komme aus Berlin.
> Kommst du auch aus Berlin?

> Was macht Marta gern? ○ Sitzt Alex auch Reihe 5? ○ Sie zeichnet gern. ○
> Malt Patrick ein Aquarell? ○ Was ist im Rucksack? ○ Im Rucksack ist ein Wörterbuch.

**W-Frage (Fragen mit Fragewort)**

| Position I: Fragewort | Position II: Verb mit Personen-Endung | Subjekt | weitere Satzglieder |
|---|---|---|---|
| Woher | kommst | du? | |
| | | | |
| | | | |
| | | | |

**Aussage**

| Position I: Subjekt / ein anderes Satzglied | Position II: Verb mit Personen-Endung | weitere Satzglieder (und / oder Subjekt) |
|---|---|---|
| Ich | komme | aus Berlin. |
| | | |
| | | |
| | | |

**Ja / Nein-Frage**

| Position I: Verb mit Personen-Endung | Position II: Subjekt | weitere Satzglieder |
|---|---|---|
| Kommst | du | auch aus Berlin? |
| | | |
| | | |
| | | |

**Verbtabelle (2)**

Ergänze die Personen-Endungen der Verben.

| | sing\|en | rechn\|en | tanz\|en |
|---|---|---|---|
| **ich** | sing e | rechn | tanz |
| **du** | sing | rechn est ❶ | tanz t ❶ |
| **er / sie** | sing | rechn ❶ | tanz |

| sein | |
|---|---|
| ich | bin ❶ |
| du | ❶ |
| er / sie | ❶ |

| hab\|en | |
|---|---|
| ich | hab e |
| du | ha ❶ |
| er / sie | ha ❶ |

# Mein Wortschatz

## Mein Stundenplan

**a** Ergänze die Angaben. Schreib dann deinen Stundenplan auf.

Ich gehe in die Klasse ............. in die ...................................... Schule in ...........................................

| Montag | Dienstag | Mittwoch | Donnerstag | Freitag | Samstag |
|--------|----------|----------|------------|---------|---------|
| .................... | .................... | .................... | .................... | .................... | .................... |
| .................... | .................... | .................... | .................... | .................... | .................... |
| .................... | .................... | .................... | .................... | .................... | .................... |
| .................... | .................... | .................... | .................... | .................... | .................... |
| .................... | .................... | .................... | .................... | .................... | .................... |
| .................... | .................... | .................... | .................... | .................... | .................... |
| .................... | .................... | .................... | .................... | .................... | .................... |
| .................... | .................... | .................... | .................... | .................... | .................... |

**b** Wie findest du deinen Stundenplan? Was ist dein Lieblingstag? Warum? Erzähl bitte.

## Mein Lieblingsfach

Notiere, was dir zu deinem Lieblingsfach einfällt. Du kannst dazu Wörter im Wörterbuch suchen.

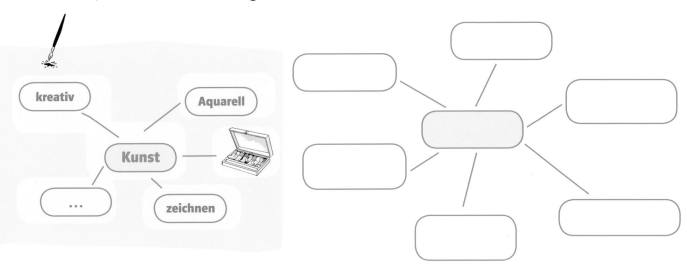

## Mein Freund / Meine Freundin

Schreib ein Gedicht über dich und deinen Freund / deine Freundin.

> **Ich bin ich, und du bist du!**
>
> Ich mag ... , und du magst ...
> Ich bin ... , und  du bist ...
> Ich spiele ... , und du ...
> Ich lerne ... ,
> ...
> ...
> Ich bin ich, und du bist du!
> Und das ist supergut!

Flensburg

Hamburg

# Meilenstein 1

Zeig, was du schon kannst und sammle Meilensteine für eine Erlebnisreise durch Deutschland. Die Reise beginnt ganz im Norden, in Flensburg. Bei jeder Aufgabe sammelst du Meilen. Zeichne deinen Weg auf der Landkarte auf Seite 4 ein.

**1 Ich kann jemanden begrüßen.**

Schreib die Sätze in die passende Sprechblase.

> Wie geht's? ○ Hallo! ○ Und wer bist du? ○ Und dir?

1. ............. Ich bin Pit. .......................................

2. Ich heiße Simone. ........................

3. Sehr gut. ................................

4. Super, danke.

......... / 4

**2 Ich kann mich vorstellen.**

Stell dich vor. Schreib einen Text zu den angegebenen Punkten.

| | |
|---|---|
| **Name:** | Hallo, ich ............................................................ |
| **Alter:** | ............................................................ |
| **Wohnort:** | ............................................................ |
| **Hobbys:** | Ich mag ..................... und ................. |
| **Lieblingsfach:** | Mein ........................ |

......... / 8

**3 Ich kann meine Meinung sagen.**

Wie findest du die Schulfächer? Antworte in ganzen Sätzen.

> blöd ○ super ○ uninteressant ○ toll ○ okay ○
> interessant ○ langweilig ○ ganz gut

Deutsch ........................................................................ 😐

Mathematik ................................................................... 🙂

Chemie ........................................................................ 🙁

......... / 3

**4 Ich kann sagen, was jemand gern macht.**

Was macht dein Freund / deine Freundin gern? Wähl drei Verben.

> malen ○ tanzen ○ rechnen ○ zeichnen ○ turnen ○ singen

Er / Sie ......................................................., ........................................................ und

........................................................ gern.

......... / 3

### 5 Ich kann wichtige Informationen in einem Interview verstehen.

Hör zu. Notiere die Angaben.

Name: *Michael Bürger* ....................     Lieblingstag: ....................

Klasse: ....................     Lieblingsfach: ....................

Alter: ....................     Hobbys: ....................

 ......... / 5

### 6 Ich kann auf Fragen antworten.

Antworte mit „Ja" oder mit „Nein".

| Ist Pablo Picasso ein Maler? | ◯ | Ja, *Picasso ist ein Maler.* .................... |
| Ist im Internetcafé eine Tafel? | ◯ | Nein, .................... |
| Ist im Mäppchen ein Radiergummi? | ◯ | Ja, .................... |
| Ist im Deutschraum ein Mikroskop? | ◯ | Nein, .................... |
| Ist im Rucksack eine Landkarte? | ◯ | Nein, .................... |

......... / 4

### 7 Ich kann die richtigen Fragen stellen.

Ergänze das Fragewort.

Wer? ◯ Was? ◯ Wann? ◯ Wie? ◯ Wo? ◯ Woher?
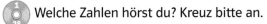

| 1. Anja: .................... ist das? | ◯ | Gerd: Das ist mein Computer. |
| 2. Anja: .................... alt bist du? | ◯ | Gerd: Ich bin 13. |
| 3. Anja: .................... geht es dir? | ◯ | Gerd: Danke, sehr gut. |
| 4. Willi: .................... heißt du? | ◯ | Ben: Ich heiße Ben. |
| 5. Willi: .................... hast du frei? | ◯ | Ben: Am Samstag und am Sonntag. |
| 6. Willi: .................... ist dein Hobby? | ◯ | Ben: Ich spiele Gitarre. |
| 7. Ines: .................... kommt Chiara? | ◯ | Thea: Sie kommt aus Italien. |
| 8. Ines: .................... wohnt Boris? | ◯ | Thea: Er wohnt in Leipzig. |
| 9. Ines: .................... ist das? | ◯ | Thea: Das ist Franka Potente. |

......... / 9

### 8 Ich kann Zahlen verstehen.

Welche Zahlen hörst du? Kreuz bitte an.

| 12 | 5 | 0 | 2 |
|----|----|----|----|
| 17 | 3 | 20 | 14 |
| 6 | 19 | 11 | 7 |

 ......... / 4

**Wie viele Meilen hast du gesammelt?**
**Bis 20 Meilen:** Du brauchst neue Energien. Leg dich an den Strand und tank ein wenig Sonne. Wiederhol dann die Übungen von Lektion 1 und 2. Dann klappt es sicher besser.
**21–30 Meilen:** Gut gemacht! Du darfst bis nach Hamburg weiterfahren.
**31–40 Meilen:** Toll! Du darfst in Hamburg eine große Hafenrundfahrt machen.

 ......... / 40

# 3 Freunde und Familie

## 1 Alles falsch! → KB: 1

Korrigiere die falschen Aussagen. Die Bilder im Kursbuch helfen dir bei der Lösung.

1. Stefans Mutter heißt Hans Feldner.
2. Stefans Großvater ist 38.
3. Lisa wohnt in Hamburg.
4. Anna ist Stefans Schwester.
5. Tobias geht in die Klasse von Stefan.
6. Balu ist ein Freund von Stefan.
7. Jochen ist Stefans Hund.

**So ist es richtig!**

Stefans Mutter ist 38.

Stefans Großvater heißt ...

Lisa ist

...............................................................

...............................................................

...............................................................

...............................................................

## 2 Stefans Familie, Stefans Freunde

Wer ist das? Beschrifte die Fotos wie in Beispiel 6.

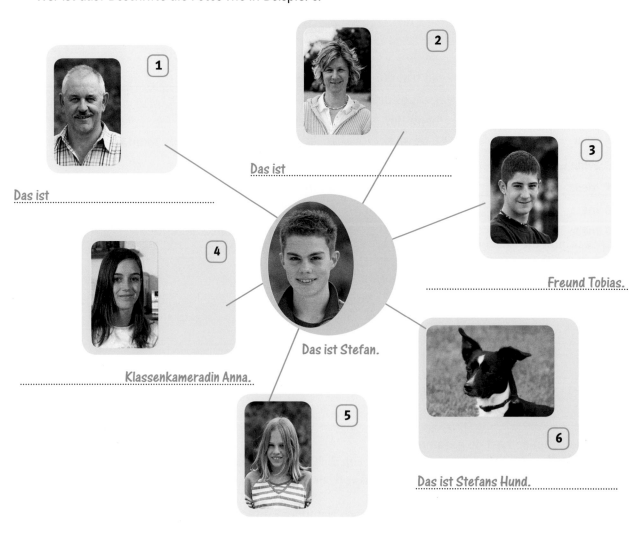

Das ist ...............................................

Das ist ..................................................................

Das ist ...........................................................
Freund Tobias.

.........................................................
Klassenkameradin Anna.

Das ist Stefan.

Das ist Stefans Hund.

...............................................................

**3** Ein Telefongespräch vorbereiten  ➡ **KB:** 4

**a** Was sagst du am Telefon? Ordne bitte zu.

> Guten Tag. Hier ist Jochen Kerner. Ich …  ⊙  Hi, Maike, hier ist Jochen.  ⊙
> Maike Petersen.  ⊙  Hallo, hier ist Jochen.  ⊙  Ja, hallo … ?  ⊙
> Hallo, Maike, …  ⊙  Hier Maike Petersen.  ⊙
> Guten Tag, Frau Reiter. Ich bin Jochen Kerner. Ich …

**Du rufst an.**

.....................................................

.....................................................

.....................................................

.....................................................

.....................................................

**Das Telefon klingelt. Du nimmst ab.**

.....................................................

.....................................................

.....................................................

 **b** Lest bitte die Anzeigen von Übung 4 im Kursbuch. Welche Fragen möchtet ihr Jens, Lara und Karl am Telefon stellen?

| Fragen an Jens | Fragen an Lara | Fragen an Karl |
|---|---|---|
| Wie geht's? | Wo wohnst du? | ............................ |
| ............................ | ............................ | ............................ |
| ............................ | ............................ | ............................ |
| ............................ | ............................ | ............................ |

**4** **Deine Anzeige**

Schreib eine Anzeige für eine Jugendzeitschrift auf ein Blatt Papier, lies sie vor und häng sie dann in der Klasse auf.

# 3 Freunde und Familie

## 5 Internationale Brieffreundschaften

**a** Sarah sucht Brieffreunde. Sie schreibt an eine Jugendzeitschrift. Lies Sarahs Brief.

> Hallo!
> Ich bin Sarah Pfiffing aus Deutschland, ich wohne in Frankfurt. Ich suche
> Brieffreunde aus ganz Europa! Schreibst du mir?
> Ich bin 16 Jahre alt und spreche Deutsch, Englisch und Spanisch. Und du?
> Meine Hobbys: schwimmen, lesen und Briefe schreiben!!
> Bitte schreib mir!
> Tschüss und bis bald
> Sarah

**b** Die Jugendzeitschrift registriert Sarahs Daten. Füll bitte das Formular aus.

---

### Internationale Brieffreundschaften

Vorname: _____ Familienname: _____

Mädchen ◯ Junge ◯

Alter: _____

Wohnort: _____

Land: _____

Hobbys: _____

Sprache(n): _____

Sucht Brieffreunde aus: _____

---

**Sei schlau!**
Die Formulierungen in Sarahs Brief helfen dir beim Schreiben.

**c** Du möchtest Sarahs Brieffreund / Briefffreundin werden und antwortest ihr. Schreib etwas zu den Punkten im Formular.

## 6 Ein Chat mit vielen Verben ➜ KB: 5

**a** Such die passenden Verben aus Übung 5 im Kursbuch und ergänze die Sätze.

1. Wir _____ zwei Freunde. Wir _____ Mario und Jens.
2. Wie _____ ihr mein Foto?
3. Das _____ meine Großeltern, meine Schwester und mein Onkel Herbert.
4. Meine Schwestern _____ 8 und 10 Jahre alt.
5. Sie _____ stressig!
6. _____ ihr bald ein Foto?
7. Die Fotos _____ morgen.

**b** Welche Verbformen passen zu welchen Personen? Schreib alle Kombinationen auf.

chatte  bin  kommen  wohnt  heißen

spielst  ich  sie  du  kommt  schreibst

heißt  lese  wir  sind  bist

chattet  machen  ihr  er / sie  schreibt  malt

ist

*ich chatte, ich …*

*du …*

............................................................................................................................

............................................................................................................................

............................................................................................................................

............................................................................................................................

**c** Ergänze die Verbtabelle mit den vier Verben. Was fällt dir auf? Welche Endungen sind gleich?

**Singular**

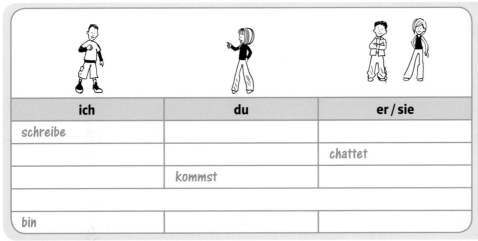

| ich | du | er / sie |
|---|---|---|
| schreibe | | |
| | | chattet |
| | kommst | |
| | | |
| bin | | |

> **Sei schlau!**
> Es ist nicht schwer! Es sind ja nur 4 Personen-Endungen.

**Plural**

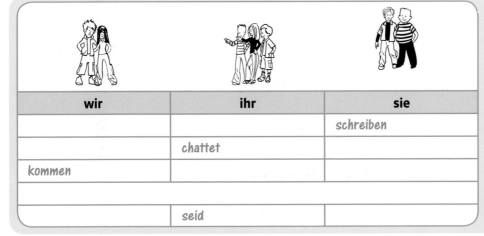

| wir | ihr | sie |
|---|---|---|
| | | schreiben |
| | chattet | |
| kommen | | |
| | | |
| | seid | |

# 3 Freunde und Familie

## 7 Dialogpuzzle: Am Telefon

**a** Ordne den Dialog. Schreib den Dialog in der richtigen Reihenfolge in dein Heft.

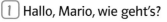

[1] Hallo, Mario, wie geht's?

[ ] Und deine Schwester? Kommt sie auch?

[ ] Ja, ich komme.

[ ] Sie ist hier, sie hört Musik.

[ ] Tschüss! Bis Freitag.

**Deine Taktik:**
Markiere die beiden Sprecher in zwei Farben.

[ ] Toll! Ich finde sie sehr nett.

[ ] Super! Bist du nicht in der Schule?

[ ] Nein, ich habe frei. … Was macht deine Schwester?

[ ] Sie kommt auch.

[ ] Puh, ich finde sie total stressig.

[ ] Aha. … Kommst du am Freitag ins Rockkonzert?

[ ] Also, tschüss dann!

 **b** Hör bitte zu. Ist deine Lösung richtig?

 **c** Spielt den Dialog.

## 8 Fragen über Fragen

Eine Reporterin von der „Deutschen Welle" kommt in die Klasse 8b. Sie stellt viele Fragen. Notiere bitte die Antworten.

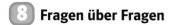

1. Ihr seid also die 8b?
2. Lernt ihr Deutsch?
3. Habt ihr eine Theatergruppe?
4. Was spielt ihr?

5. Wie heißt du?
6. Und wie alt bist du?
7. Magst du Deutsch?

8. Und du? Bist du Susanne?
9. Hast du Geschwister?
10. Was ist dein Lieblingsfach?

11. Sie sind also Deutschlehrerin. Wie viele Schüler lernen Deutsch?
12. Sind sie nett?
13. Arbeiten sie schnell?
14. Sprechen sie gut Deutsch?

*Na dann, vielen Dank! Und macht weiter so!! Tschüss!*

Die Antworten:

1. Ja, ..........................................................
2. Ja, ..........................................................
3. Ja, ..........................................................
4. ..........................................................
5. ..........................................................
6. ..........................................................
7. Ja, ..........................................................

8. Nein, ..........................................................
9. ..........................................................
10. ..........................................................
11. ..........................................................
12. Ja, ..........................................................
13. Na ja, ..........................................................
14. Ja, ..........................................................!

**9** **Zahlensystematik**  ➜ **KB:** 6

**a** Schreib bitte die Zahlen in Buchstaben.

| | | |
|---|---|---|
| 0 ........................... | 2 ........................... | 3 ........................... |
| 1 ........................... | 12 ........................... | 13 ........................... |
| 10 ........................... | 20 ........................... | 30 ........................... |
| 11 ........................... | 22 ........................... | 33 ........................... |
| 101 ........................... | 202 ........................... | 303 ........................... |
| 1001 *tausendeins* ........... | 2002 ........................... | 3003 ........................... |

| | | |
|---|---|---|
| 5 ........................... | 6 ........................... | 7 ........................... |
| 15 ........................... | 16 ........................... | 17 ........................... |
| 50 ........................... | 60 ........................... | 70 ........................... |
| 55 ........................... | 66 ........................... | 77 ........................... |
| 505 ........................... | 606 ........................... | 707 ........................... |
| 5005 ........................... | 6006 ........................... | 7007 ........................... |

**b** Kreuz bitte neun Zahlen an. Hör zu. Wie viele Treffer hast du?

**10** **Rechenwettkampf**

Bildet drei Teams. Welches Team ist zuerst fertig und rechnet laut auf Deutsch vor?

| A | B | C |
|---|---|---|
| 12 x 4 = ................ | 17 x 2 = ................ | 23 + 43 = ................ |
| 24 + 25 = ................ | 23 x 3 = ................ | 16 x 2 = ................ |
| 44 x 2 = ................ | 29 + 22 = ................ | 11 x 5 = ................ |
| 9 x 9 = ................ | 13 + 19 = ................ | 18 + 19 = ................ |
| 11 + 55 = ................ | 20 x 4 = ................ | 70 + 10 = ................ |
| 99 x 1 = ................ | 100 + 0 = ................ | 88 x 1 = ................ |

**11** Eins oder viele?  **KB:** 10

 Ergänze bitte die Wörter.

● Das ist / Das sind ...

vier Bälle ............................................ ............................................ zehn Bücher

zwei Stühle ............................................ ein Fahrrad ............................................

............................................ zwei Hände  ein Wort

............................................ ein Blitz  ein Kuli

zwei Bleistifte   zwei Handys

 fünf Blumen ............................................ vier Marker

eine Flasche  ein Spitzer

vier Schnecken  drei Teddybären

**12** Glückszahlen und Symbole

 **a** Wähl ein Symbol aus Übung 11 für deinen Partner / deine Partnerin und such zwei passende Adjektive. Markiere Glückszahlen für deinen Partner / deine Partnerin.

> nett ○ laut ○ schnell ○ intelligent ○ fantasievoll ○ cool ○
> lustig ○ langsam ○ ernst ○ sportlich ○ chaotisch ○ hilfsbereit

| Montag | Dienstag | Mittwoch | Donnerstag | Freitag | Samstag | Sonntag |
|--------|----------|----------|------------|---------|---------|---------|
| 11 | 33 | 45 | 12 | 78 | 88 | 96 |
| 67 | 23 | 1 | 78 | 87 | 22 | 100 |
| 66 | 56 | 76 | 89 | 65 | 17 | 23 |
| 82 | 15 | 27 | 99 | 67 | 56 | 47 |
| 7 | 8 | 11 | 90 | 84 | 39 | 31 |
| 2 | 23 | 44 | 9 | 93 | 30 | 12 |

**b** Sprich wie im Beispiel. Dein Partner / Deine Partnerin markiert die Zahlen.

> Dein Symbol ist ein Handy.
> Du bist lustig und laut. Deine
> Glückszahlen sind: Am Montag ...,
> am Dienstag ...

## 13 Wie sprichst du mit wem? ➡ KB: 13

Ordne die Fragen den Personen zu. Manchmal passt eine Frage zweimal.

 A
 B
 C
 D

☐ „Wohnst du in Frankfurt?"
☐ „Wie geht es Ihnen?"
☐ „Herr Klein, möchten Sie noch Kaffee?"
☐ „Wie alt bist du denn?"
☐ „Spielt ihr gern Fußball?"
☐ „Was möchtest du, Susi?"
☐ „Woher kommen Sie?"

☐ „Bist du ein Einzelkind?"
☐ „Sprecht ihr Englisch?"
☐ „Heißt dein Hund Blitz?"
☐ „Wann schreibst du?"
☐ „Wie heißen Sie?"
☐ „Wann schickt ihr ein Foto?"
☐ „Sind Sie aus Österreich?"

## 14 Sprechtraining: Sprechmelodie

1 ◎ 36

**a** Hör die Fragen von Übung 13 und sprich sie nach.

**b** Hör die Fragen noch einmal und achte auf die Sprechmelodie.
Markiere, ob die Melodie steigt ↗ oder fällt ↘ .

> *Wohnst du in Frankfurt?* ↗

**c** Was ist richtig? Streich das falsche Wort durch.

> In den W-Fragen steigt / fällt (meistens) die Melodie.

> In den Ja / Nein-Fragen steigt / fällt die Melodie.

## 15 Wörter zusammensetzen ➡ KB: 14

**a** Welche Wörter geben zusammen ein neues Wort? Schreib die Wörter auf.

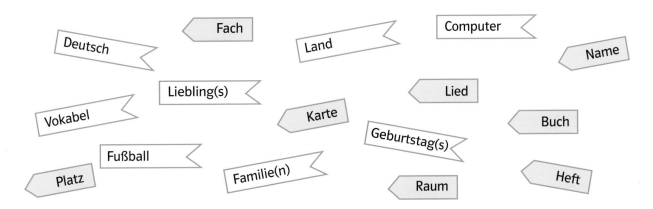

Fach
Deutsch
Land
Computer
Name
Liebling(s)
Lied
Vokabel
Karte
Buch
Geburtstag(s)
Fußball
Familie(n)
Heft
Platz
Raum

**b** Lies die Wörter vor. Achte auf die Betonung.

# 3 Meine Grammatik

## Wir sind viele!

Lies, was sie sagen.

Wo wohnt ihr?

Wir wohnen in Bern.

Wir wohnen in Stuttgart.

Und sie wohnen in Salzburg.

## Verbtabelle (3)

**a** Ergänze die Tabelle. Schreib die Personen-Endungen in die Kästchen. Notiere die besonderen Formen.

**Singular**

|  | wohnen | rechnen | heißen |
|---|---|---|---|
| **ich** | wohn............ | rechn............ | heiß............ |
| **du** | wohn............ | rechn............ | heiß............ |
| **er / sie** | wohn............ | rechn............ | heiß............ |

**Endungen**

aber:

........................, ........................

........................

**sein**

........................

........................

........................

**Plural**

|  | wohnen | rechnen | tanzen |
|---|---|---|---|
| **wir** | wohn............ | rechn............ | tanz............ |
| **ihr** | wohn............ | rechn............ | tanz............ |
| **sie** | wohn............ | rechn............ | tanz............ |

........................

........................

........................

........................

**b** Wie spricht man jemanden an, den man nicht kennt?

Möchten Sie Kaffee?

Und was möchten Sie?

**Deine Regel:**
Hier schreibt man *Sie* immer ........................!

## Familie im Plural

Such die Pluralformen in der Wörterliste im Kursbuch.

| Kind, ........................ | Vater, ........................ | Tante, ........................ |
|---|---|---|
| Baby, ........................ | Mutter, ........................ | Onkel, ........................ |
| Bruder, ........................ | Oma, ........................ | Enkelin, ........................ |
| Schwester, ........................ | Opa, ........................ | Enkel, ........................ |

# **M**ein **W**ortsch**a**tz

### Mein Familienstammbaum

 Schreib die Namen und das Alter in den Familienstammbaum. Erklär ihn dann deinem Partner / deiner Partnerin.

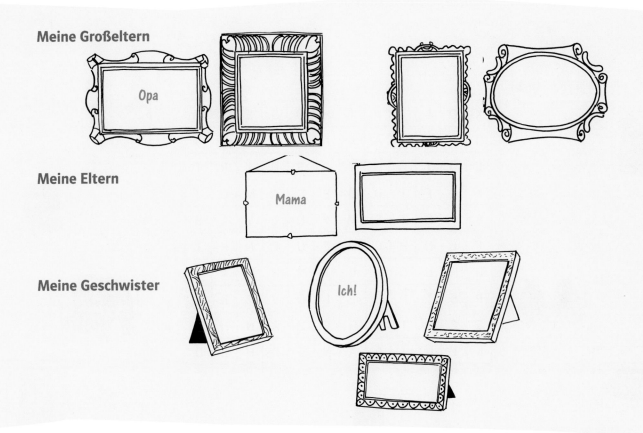

**Meine Großeltern**

Opa

**Meine Eltern**

Mama

**Meine Geschwister**

Ich!

### Meine Familie, meine Freunde

Schreib ein Gedicht.

Meine Familie

Das ist:
  meine .........................
  und meine ......................... und ...
Das ist:
  mein .........................
  und mein ......................... ...
Das sind auch:
  meine .........................
  und meine ......................... ...

Meine Freunde

Das sind:

  .........................
  und .........................
  und ......................... ...

WIR MACHEN VIEL ZUSAMMEN!

### Meine Lieblingswörter

Schreib drei neue Lieblingswörter.

1. .............................................
2. .............................................
3. .............................................

# 4 Alles bunt!

## 1 Kleidungsstücke  ➜ KB: 2

Hier sind elf Kleidungsstücke versteckt. Such sie und schreib die Wörter zu den passenden Fotos.

| K | O | L | T | H | I | H | O | S | E | S | M |
|---|---|---|---|---|---|---|---|---|---|---|---|
| U | R | T | S | A | W | A | T | C | R | A | Ü |
| C | O | I | H | N | T | – | S | H | I | R | T |
| K | L | E | I | D | O | E | C | A | M | O | Z |
| A | P | B | T | S | M | V | Q | L | Y | C | E |
| F | E | H | H | C | U | E | U | R | N | K | I |
| U | H | U | O | H | R | I | N | U | M | A | H |
| P | S | T | P | U | L | L | O | V | E | R | E |
| E | E | O | I | H | H | E | U | A | N | H | M |
| K | L | N | J | E | A | N | S | P | H | E | D |

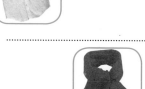

## 2 Was passt nicht?

Streich das Wort, das nicht passt, durch.

1. Kleid ○ Top ○ Rock ○ Hemd
2. Strümpfe ○ Socken ○ Hut ○ Hose
3. Jogginganzug ○ Schal ○ Sporttasche ○ Turnschuhe
4. Pullover ○ T-Shirt ○ Jeans ○ Top
5. Handschuhe ○ Kette ○ Schal ○ Mütze

## 3 Buchstabensalat  ➜ KB: 3

Wie heißen die Farben?

BELG ○ *gelb* ........................

ANOREG ○ ........................

ASOR ○ ........................

ILAL ○ ........................

GURA ○ ........................

CHARSZW ○ ........................

RÜGN ○ ........................

ARBUN ○ ........................

### 4 Die Welt in Farben

Trag die Farben in die Palette ein und ordne sie den Begriffen zu.

deine Haare

deine Augen

deine Lieblingsblume

ein Fußball

Kaffee

Jeans

eine Orange

eine Tafel

eine Zitrone

ein Tennisball

dein Radiergummi

dein Deutschbuch

Schokolade

dein Geldbeutel

eine Banane

### 5 Erkennst du die Wörter? ➜ KB: 4

Ergänze die Buchstaben.

1. | | | N | D | S | C | H | | |

2. | | | | | M | P | F | E | |

3. | | | R | N | S | C | H | | |

4. | | | | | N | G | S | K | L | | | |

Das alles findest du im …

5. | | | | | | | R | S | C | H | R | | |

### 6 der Rock – das Hemd – die Hose

Schreib die Wörter in eine Tabelle. Du kannst in der Wortliste im Kursbuch nachschlagen.

eine Party ○ meine Tasche ○ mein Klassenzimmer ○
ein Kuli ○ meine Schwester ○ ein Mädchen ○ mein T-Shirt ○
eine Klasse ○ mein Buch ○ keine Schule ○ dein Rucksack ○
kein Heft ○ mein Freund ○ ein Stundenplan ○ deine Familie ○
mein Vater ○ kein Bruder ○ mein Opa ○ mein Platz ○
deine Mutter ○ eine Schere ○ mein Lineal ○ ein Marker ○
dein Handy ○ kein Mäppchen

**Sei schlau!**

eine
meine Tasche } die
keine

ein Kuli
mein Buch } der?/
kein Heft } das?

| der | das | die |
|-----|-----|-----|
| | | Party, |
| | | |
| | | |
| | | |

# 4 Alles bunt!

## 7 die Röcke, die Hemden, die Hosen

 **a** Wähl zehn Substantive aus Übung 6 und such die Pluralformen in der Wortliste im Kursbuch. Schreib die Wörter mit dem Artikel in dein Vokabelheft.

*der Rock, die Röcke*

 **b** Welche Wörter hat dein Partner / deine Partnerin? Ergänze deine Liste.

**Sei schlau!**
Lern Nomen immer zusammen mit dem Artikel und dem Plural.

der Rock – die Röcke
das Hemd – die Hemden
die Blume – die Blumen

## 8 Nora hat am Nachmittag frei

**a** Ergänze *der, das, die / die*.

Zuerst hört Nora Musik. ..................... Musik ist sehr schön. Dann singt sie ein Lied von „Juli". ..................... Lied ist Noras Lieblingslied. Sie liest ein Buch. ..................... Buch ist interessant.

Dann spielt sie ein Computerspiel, aber ..................... Computerspiel ist langweilig.

Sie zeichnet gern, sie zeichnet viele bunte Röcke . ..................... Röcke sind kurz, sehr modisch.

Sie lernt auch noch Vokabeln für die Deutscharbeit, zum Beispiel „blöd" und „toll". ..................... Vokabeln sind kurz und lustig.

**b** Ergänze *er, es, sie / sie*.

Noras kleiner Bruder kommt ins Zimmer und sagt:

„Wo ist meine Schere? ..................... ist nicht da! Wo ist mein Lineal? ..................... ist nicht da!

Wo ist  mein Radiergummi? ..................... ist nicht da! Wo sind meine Schuhe? ..................... sind nicht da! Und wo ist mein Ball? ..................... ist auch nicht da!"

„Oh", sagt Nora, „du bist aber echt chaotisch! Deine Schere? Hier, da ist ..................... ! Und dein Lineal? Hier, da ist ..................... ! Und dein Radiergummi? Hier, da ist ..................... ! Und deine Schuhe? Da sind ..................... !

Aber der Ball – wo ist ..................... ?"

**9** **Wer sagt was?** ➡ KB: 5

Hör bitte noch einmal, was die Jugendlichen sagen. Kreuz an.

| | Anne | Sven | Moritz | Steffi | |
|---|---|---|---|---|---|
| 1. | | | | | mag kurze Röcke mit bunten Strümpfen. |
| 2. | | | | | hat zu jedem Outfit eine passende Mütze. |
| 3. | | | | | mag super bequeme Jeans und T-Shirts. |
| 4. | | | | | findet die Farbe Rosa toll. |

**10** **Das Gegenteil von *langweilig* ist . . .** ➡ KB: 6

**a** Finde das Gegenteil.

*cool – blöd*

**Kleidung**

**Zahl**

1. cool
2. klein
3. dick
4. hell
5. schick
6. falsch
7. schnell
8. kurz
9. langweilig
10. interessant
11. weiß
12. ernst

a schwarz
b schlank
c groß
d blöd
e witzig
f dunkel
g sportlich
h richtig
i lustig
j langsam
k uninteressant
l lang

**Party**

**Figur**

**Computer**

**Haare**

**du und deine Freunde**

**b** Zu welchen Wörtern passen die Adjektivpaare? Ordne bitte zu.

**11** **Personenbeschreibung** ➡ KB: 7

Vergleiche Bild und Text. Was stimmt nicht? Korrigiere die Texte.

1. Herr Rot ist groß und schlank. Er hat kurze schwarze Haare. Das Hemd und die Hose sind sehr elegant.

2. Lizzy ist 16. Sie ist schlank, die Haare sind kurz und braun. Der Pulli ist lang und modisch, die Hose kurz.

3. Frau Lang ist sehr schick. Das Kleid ist kurz, die Haare sind lang und blond.

# 4 Alles bunt!

## 12 Im Tandem lernen → KB: 6

Peter berichtet Mario von den drei Superstars. Mario soll die Verben ergänzen. Kannst du ihm helfen? Manche Verben passen mehrmals.

sein ● machen ● sprechen ● singen ● spielen ● gehen ● finden ● schreiben

**E-MAIL SCHREIBEN** ?

Lieber Mario,

in der nächsten Deutschstunde ...sprechen............. wir von den Superstars

Jenny, Alexandra und Tim von TV-Talent. Alle drei ...........................

noch zur Schule. Sie ........................... wirklich witzig und originell! Tim

........................... Robby Williams super. Er ........................... auch gern

Quatsch. Ich mag Robby Williams auch. Shakira ........................... Jennys

Lieblingssängerin, Jenny ........................... ja auch sehr gern. Alexandra

........................... in einer Theatergruppe.

Wir ........................... dann auch „Superstar" in der Klasse, ...........................

Collagen, ........................... Bewerbungen, ........................... Interviews.

Das ........................... wir lustig.

Viele Grüße

Peter

## 13 Interview → KB: 10

Schreib die passenden Fragen zu den Antworten.

1. ● ...........................................................
   ● Sehr gut, danke.

2. ● ...........................................................
   ● Susi. Susi Fleischer.

3. ● ...........................................................
   ● In Graz.

4. ● ...........................................................
   ● In Österreich.

5. ● ...........................................................
   ● Ich spiele Tennis, sehe gern Filme, höre Musik.

6. ● ...........................................................
   ● Dunkelblau, lang, ganz schick.

● Was machst du gern?
● Hallo, wie geht's?
● Wo ist das?
● Wie heißt du?
● Wie ist dein Lieblingskleid?
● Wo wohnst du?

**Was machen sie?** ➡ **KB:** 11

Ergänze die Sätze.

1. Er _____ Fahrrad.
2. Sie _____.
3. Sie _____ ein Buch.
4. Sie _____ Schi.
5. Sie _____ Torte.
6. Sie _____ Filme.
7. Er _____ Inliner.

15 **Nimm drei!** ➡ **KB:** 12

**a** Welche Verbformen gehören zusammen? Schreib sie in die Tabelle.

du liest · wir fahren · ich spreche · sie spricht · ich lese · ich schlafe · sie läuft · ich fahre · er schläft · wir laufen · sie isst · wir lesen · ich sehe · du isst · wir sehen · er sieht · wir sprechen · er läuft · du fährst · du schläfst · ich esse

| schlafen | fahren | laufen | sprechen | essen | lesen | sehen |
|----------|--------|--------|----------|-------|-------|-------|
| | | | | | | |
| | | | | | | |
| | | | | | | |

**Sei schlau!**
Lern unregelmäßige Verben immer so:

ich schlafe – er schläft
ich lese – er liest

**b** Was entdeckst du? Ergänze bitte.

**Unregelmäßige Verben**

| schlafen, fahren | a ➡ __ä__ | du _____, er / es / sie _____ |
| | | du _____, er / es / sie _____ |
| laufen | au ➡ ____ | du _____, er / es / sie _____ |
| sprechen, essen | e ➡ ____ | du _____, er / es / sie _____ |
| | | du _____, er / es / sie _____ |
| lesen, sehen | e ➡ ____ | du _____, er / es / sie _____ |
| | | du _____, er / es / sie _____ |

# 4 Alles bunt!

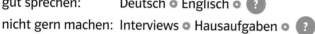

## 16  Kettenspiel: Was macht ihr gern?

Spielt wie im Beispiel.

essen: Eis ⊙ Müsli ⊙ Schokolade

**Maya:** *Ich esse gern Eis. Kevin, was isst du gern?*
**Kevin:** *Ich esse gern Müsli. Steffi, was isst du gern?*
**Steffi:** *Ich esse gern Schokolade.*
**Olaf:** *Maya isst gern Eis. Kevin isst gern Müsli. Steffi isst gern Schokolade. Ich esse gern ...*

| | |
|---|---|
| lesen: | Literatur ⊙ Fantasyromane ⊙ Gruselgeschichten |
| sehen: | Krimis ⊙ Liebesfilme ⊙ Harry-Potter-Filme |
| zeichnen: | Comics ⊙ Mode ⊙ Blumen |
| laufen: | Schi ⊙ Marathon ⊙ Schlittschuh |
| fahren: | Fahrrad ⊙ Inliner ⊙ Moped |
| gut sprechen: | Deutsch ⊙ Englisch ⊙ ? |
| nicht gern machen: | Interviews ⊙ Hausaufgaben ⊙ ? |
| sammeln: | verrückte Strümpfe ⊙ bunte Mützen ⊙ ? |

**Pass auf!**
ich samm**le**
du sammelst
er / es / sie sammelt

## 17  Ein Brief mit Lücken

Ergänze bitte den Brief mit den passenden Sätzen. Zweimal musst du etwas ändern.

1. Sie kommt aus Slowenien.
2. Aber ich spreche doch kein Slowenisch!!!
3. Mir geht es ganz gut.
4. Agnes mag auch englische Bands.
5. Agnes hat keine Geschwister.

**Deine Taktik:**
Lies zuerst den ganzen Brief.

Liebe Tina,

wie geht es dir? ............................................... Ich habe eine neue Freundin! Sie ist neu in der Klasse. Sie heißt Agnes und ................................................. Die Eltern von Agnes arbeiten jetzt in Hamburg. ..............................................., aber sie hat schon viele neue Freunde. Sie spricht noch kein Deutsch, nur ein paar Wörter. Wir spielen zusammen Tennis, essen Eis oder hören Musik. .................................................

Sie ist blond, die Augen sind grün. Sie ist wirklich sehr sympathisch!

Ich fahre im Sommer mit der Familie von Agnes nach Maribor. Das ist in Slowenien,

.................................................

Schreib mir bald!

Deine Lilli

**18** **Wörter zusammensetzen**

**a** Welche Wörter geben zusammen ein neues Wort? Verbinde bitte.

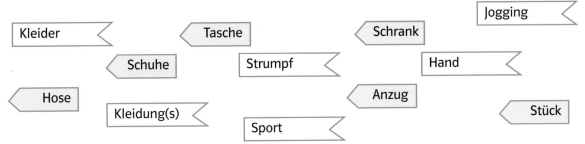

Jogging

Kleider

Tasche

Schrank

Schuhe

Strumpf

Hand

Hose

Anzug

Kleidung(s)

Stück

Sport

**b** Lies die Wörter vor. Achte auf die Betonung.

**19** Sprechtraining: **Unterschied _i_ und _ie_** ➡ **KB: 14**

🔊 1/43 **a** Hör bitte zu. Kurz oder lang?

Till **i**sst Pizza.
Minna **i**st dick.

⬇

Sophie sp**ie**lt Klav**ie**r.
P**ie**t hat v**ie**l Fantas**ie**.

⬇

**i** spricht man fast immer .......................... .

**ie** spricht man immer .......................... .

**b** Was fehlt? Schreib die Sätze neu. Lies sie dann vor.

G✿tta sp✿lt G✿tarre und s✿ngt L✿besl✿der. S✿ l✿st L✿besgesch✿chten und s✿ht L✿besf✿lme. S✿ ✿sst n✿chts. S✿ tr✿nkt ✿mmer nur L✿mo. S✿ schreibt v✿le L✿besbr✿fe. S✿ l✿bt D✿ter. D✿ter sp✿lt Klav✿r.

**20** **Was hörst du? Wie schreibst du?**

🔊 1/44 **a** Wo hörst du [ʃ] ? Unterstreiche bitte.

singen ○ spielen ○ schlafen ○ schreiben ○ sprechen ○ sitzen ○ stehen

🔊 1/45 **b** Hör zu und ergänze die fehlenden Buchstaben in den Wörtern.

1. ..................pielt ihr in der ....................ule oft Fußball?

2. Was sagt der ....................tundenplan? ○ Am Montag haben wir ....................port.

3. Meine ....................wester ist ....................lank und sehr ....................portlich.

4. Wo ist meine ....................warze ....................trumpfhose?

5. Dein ....................pitzer ist echt ....................ön.

6. Die Katze ....................läft auf dem ....................tuhl.

7. ....................ick ist er, dein ....................al!

8. Möchtest du auch ein ....................tück ....................okolade?

**Deine Regel:**
.................. und
.................. am
Wortanfang
spricht man
[ʃt] und [ʃp].

# 4 Meine Grammatik

### Artikelwörter

Wähl deine Lieblingswörter. Ergänze die Artikelwörter.

| maskulin | neutral | feminin | Plural |
|---|---|---|---|
| *der* ........ | *das* ........ | *die* ........ | *die* ........ |
| *ein* ........ ........ | ........ ........ | ........ ........ | ........ ........ |
| ........ | ........ | *meine* ........ | *meine* ........ |
| ........ | *kein* ........ | ........ | ........ |

### Personalpronomen: *er, es, sie*

Ergänze bitte die Sätze.

**Dein Trick:**
d**er** – **er**
d**as** – **es** } d**ie** – **sie**
d**ie** – **sie**

**maskulin:** Das ist mein ........................ . .......... ist ................................ .

**neutral:** Das ist mein ........................ . .......... ist ................................ .

**feminin:** Das ist meine........................ . .......... ist ................................ .

**Plural:** Das sind meine ........................ . .......... sind ................................ .

### Verbtabelle (4)

**a** Ergänze bitte die Tabelle. Markiere die besonderen Formen.

### Unregelmäßige Verben

| | fahren | laufen | sprechen | lesen |
|---|---|---|---|---|
| **ich** | ........ | ........ | ........ | lese |
| **du** | ........ | läufst | ........ | ........ |
| **er / es / sie** | fährt | ........ | spricht | ........ |
| **wir** | ........ | ........ | ........ | ........ |
| **ihr** | fahrt | ........ | ........ | ........ |
| **sie** | ........ | ........ | ........ | ........ |
| **Sie** | ........ | ........ | ........ | ........ |
| **auch:** | schlafen | | essen | sehen |

| |
|---|
| a ● ä |
| au ● äu |
| e ● i / ie |

**b** Ergänze die Verben.

**Das bin ich!**

Ich ........................ gern Gruselgeschichten
und ........................ dabei viel Schokolade.
Ich ........................ gern Fantasy-Filme
und ich ........................ viel Fahrrad!

**Das ist mein Bruder!**

Er ........................ keine Bücher,
und er ........................ keine Schokolade.
Er ........................ gern Liebesfilme
und er ........................ sehr gut Schi!

### Wörter suchen

Such in der Wörterliste im Kursbuch fünf Wörter mit der Pluralform *-n*.

*die Tasche, die Taschen* .............................................................................

# Mein Wortschatz

## Das bin ich!

Sammle Eigenschaften (Adjektive), die zu dir passen, und Aktivitäten (Verben / Nomen), die du gerne machst. Notiere auch deine Lieblingsfarbe(n).

**Eigenschaften**

Ich bin ..............................................

..............................................

..............................................

Dein Bild

**Aktivitäten**

Ich ....................................... gern.

..............................................

Ich mache gern .......................................

..............................................

Ich spiele gern .......................................

..............................................

Meine Lieblingsfarbe(n) ist / sind: .......................................

## Was ist in deinem Kleiderschrank?

**a** Schreib die Wörter (und Farben) für deine wichtigsten Kleidungsstücke in den Schrank.

In meinem Kleiderschrank ist / sind ...

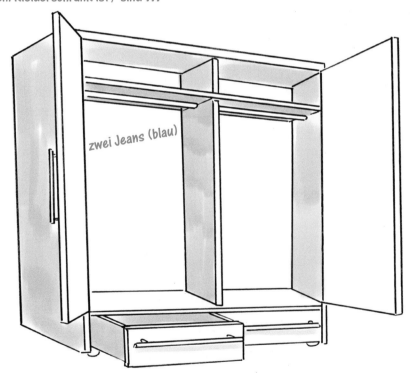

zwei Jeans (blau)

**b** Beschreib dein Lieblingskleid / deine Lieblingshose / dein Lieblings-...

Mein / Meine ....................................... ist .......................................

..............................................

..............................................

# Meilenstein 2

Hamburg → Berlin

Die Reise geht weiter und du kannst wieder Meilensteine sammeln. Die Reise führt dich nun von Hamburg nach Berlin. Zeichne deinen Weg auf der Landkarte auf Seite 4 ein.

## 1 Ich kann ein Telefongespräch beginnen und beenden.

Es gibt jeweils zwei Möglichkeiten. Kreuz an.

Das Telefon klingelt. Was sagt Lina?

Was sagt Felix?

1. a) ☐ Lina Payer.
   b) ☐ Ja, hallo, hier ist Lina Payer.
   c) ☐ Ich bin Lina. Wer bist du?

2. a) ☐ Bist du Lina?
   b) ☐ Hallo Lina, hier ist Felix.
   c) ☐ Hi, ich bin's, Felix. Wie geht's?

Was sagen sie am Ende des Gesprächs?

3. a) ☐ Tschüss, Felix.
   b) ☐ Also dann, ciao.
   c) ☐ Auf Wiedersehen, Felix.

4. a) ☐ Tschüss, bis bald.
   b) ☐ Super, danke.
   c) ☐ Ciao.

......... / 4

## 2 Ich kann *du* und *Sie* gebrauchen.

Wie fragst du Jugendliche? Wie fragst du Erwachsene? Ergänze bitte.

| Jugendliche | Erwachsene |
|---|---|
| 1. a) Hörst | b) |
| 2. a) | b) |
| 3. a) | b) |

- gern Popmusik hören
- viele Hobbys haben
- Kaffee trinken

......... / 6

## 3 Ich kann Angaben zu Personen verstehen.

🔵 1 46 Hör zu und ergänze.

| Name | Hobby | Augen | Haare | Figur |
|---|---|---|---|---|
| Joachim | ................. | ................. | ................. | ................. |
| | ................. | ................. | ................. | ................. |
| Carina | ................. | ................. | ................. | ................. |
| | ................. | ................. | ................. | ................. |

......... / 8

## 4 Ich kann Fragen zu einem Text stellen.

Lies den Artikel aus der Schülerzeitung. Stell W-Fragen wie im Beispiel.

**Ein neuer Star – Sofia Zima – spielt in unserem Fußballteam!**
Sofia ist erst 12 Jahre alt, spielt aber seit Samstag in der offiziellen Mannschaft des Europagymnasiums in Klagenfurt.
Sofia kommt aus Italien, aus Udine. Jetzt wohnt sie in Villach.
Sofia mag Mathe und Sport. Englisch mag sie überhaupt nicht.
Am Freitag ist das nächste Fußballspiel, da kannst du Sofia kennen lernen.

| Wann? ○ Was? ○ ~~Wer?~~ ○ Wie alt? ○ Wo? ○ Woher? |

1. _Wer spielt im Fußballteam?_      4. _____

2. _____      5. _____

3. _____      6. _____

......... / 5

---

**5** **Ich kann Verben in der richtigen Form gebrauchen.**

Ergänze die E-Mail.

| ~~sprechen~~ ○ haben ○ heißen ○ malen ○ schreiben ○ sein ○ spielen ○ sammeln ○ turnen |

Hallo Joanna,

wie geht's? Heute _spreche_ ich über meine Familie. Sie ist sehr groß! Wir _____

vier Kinder. Meine Brüder _____ Lars und Daniel, sie sind 17 Jahre alt und ganz in

Ordnung. Lars _____ super Basketball, Daniel _____ Comics. Meine Schwester heißt

Xenia. Sie ist 10 Jahre alt, sie _____ sehr schön und _____ gern. _____ du auch

Geschwister? Ich _____ bald wieder eine E-Mail!

Dein Paul

......... / 8

---

**6** **Ich kenne die besonderen Formen einiger unregelmäßiger Verben.**

Ergänze die Sätze.

| essen ○ ~~laufen~~ ○ lesen ○ fahren ○ sprechen |

„Was macht dein Onkel Herbert?" ○ „Mein Onkel ist total verrückt: Er _läuft_ jede

Woche einen Marathon. Er _____ sieben Sprachen und _____ alle Telefonbücher.

Er _____ rückwärts Schi. Und er _____ jeden Tag zehn Zitronen!"

......... / 4

---

**7** **Ich kann Personalpronomen und Artikel richtig gebrauchen.**

Ergänze die Sätze.

„Was hast du im Kleiderschrank?" ○ 1. „In meinem Kleiderschrank ist ein Pullover.

_Er_ ist weiß. 2. Da sind auch viele Socken. _____ Socken sind bunt. 3. Dort liegt

auch mein Ball. _____ ist klein und rot. 4. Aber wo ist mein Kleid? _____ ist nicht

da! 5. Und wo ist denn _____ Hut? Er ist auch nicht da."

6. „Deine Schuhe sind toll. Sind _____ neu? 7. Und _____ T-Shirt ist echt cool." ○

„Danke, _____ ist mein Lieblingsshirt." ○ 8. „Und wie findest du _____ Hemd?" ○

„_____ ist nicht sehr modisch, aber _____ Hose ist schön."

......... / 5

---

**Wie viele Meilen hast du gesammelt?**
**Bis 20 Meilen:** Du brauchst neue Energien: Setz dich ans Elbufer, schau den
Schiffen nach und träum von der großen weiten Welt. Wiederhol dann die Übungen
von Lektion 3 und 4. Dann klappt es sicher besser.
**21–30 Meilen:** Gut gemacht! Du darfst bis nach Berlin weiterfahren.
**31–40 Meilen:** Toll! Du darfst in Berlin auf den Fernsehturm steigen und die
Aussicht genießen.

......... / 40

# 5 Heute ist mein Tag!

## 1 Zeitansage  ➡ KB: 1

🔊 48 Hör die Zeitansagen am Telefon und zeichne die Uhrzeiten in die Uhren.

| 1 | 2 | 3 | 4 | 5 | 6 |

## 2 Wie viel Uhr ist es?  ➡ KB: 2

**a** Welche Angabe stimmt? Kreuz bitte an.

Wie viel Uhr ist es?

Viertel vor drei.

| 1 | 2 | 3 | 4 | 5 |

☐ drei Uhr ☐ Viertel vor fünf ☐ halb drei ☐ vier Uhr ☐ Viertel vor zehn

☐ neun Uhr ☐ Viertel nach fünf ☐ halb zwei ☐ zwanzig nach zwölf ☐ zehn vor neun

**b** Zeichne hier die anderen Uhrzeiten aus Übung **a** ein.

| 1 | 2 | 3 | 4 | 5 |

## 3 Zahlen und Uhrzeit

Was ist richtig: *ein, eine, eins*? Kreuz bitte an.

|  |  | ein | eine | eins |  |
|---|---|---|---|---|---|
| 1. Wie spät ist es? | ▸ Es ist |  |  |  | Uhr. |
| 2. Wie viel Uhr ist es? | ▸ Es ist halb |  |  |  | . |
| 3. Wann isst Laura zu Mittag? | ▸ Um |  |  |  | Uhr. |
| 4. Und wann isst du? | ▸ Um Viertel nach |  |  |  | . |
| 5. Kannst du auf Deutsch zählen? | ▸ Na klar, |  |  |  | , zwei, drei … |
| 6. Was ist das? | ▸ Das ist |  |  |  | Uhr. |

## 4 Uhrzeit mal zwei

Welche Zeitangaben passen zusammen? Verbinde bitte.

Guten Abend. Es ist 20.00 Uhr.

Wie viel Uhr ist es?

Es ist gleich acht.

| | |
|---|---|
| null Uhr / 24 Uhr | halb elf |
| 9 Uhr 5 | Viertel vor acht |
| 10 Uhr 30 | Mitternacht |
| 23 Uhr 20 | zehn vor zwölf |
| 15 Uhr 45 | Viertel vor vier |
| 16 Uhr 15 | fünf nach neun |
| 13 Uhr 20 | halb acht |
| 19 Uhr 45 | Viertel nach vier |
| 11 Uhr 50 | zwanzig nach eins |
| 7 Uhr 30 | zwanzig nach elf |

## 5 Wie viel Uhr ist es? Was machen die Jugendlichen gerade? ➜ KB: 3

**a** Schreib die Antworten zu den Bildern.

Rio de Janeiro, 11.45:
_Sonia_

Mexico City, 8.30:
_Pablo_

Berlin, 15.10:
_Laura_

Sydney, 24.00:
_Max_

New Delhi, 19.30:
_Ebby_

Peking, 22.45:
_Li_

# 5 Heute ist mein Tag!

 **b** Übt zu zweit wie im Beispiel.

- ● Wie viel Uhr ist es in Rio de Janeiro?
- ● Es ist Viertel vor zwölf.

- ● Was macht Sonia gerade?
- ● Sie spielt Klavier.

**c** Wie viel Uhr ist es bei dir und was machst du gerade?

........................................................................................................................................................................

**6** **Sonias Tagesablauf** ➡ KB: 4

**a** Lies den Text vor.

Um acht Uhr klingelt der Wecker. Um zehn nach acht stehe ich dann auf. Um halb neun frühstücke ich. Um neun fange ich mit den Hausaufgaben an. Um Viertel vor eins essen meine Mutter und ich zu Mittag. Um ein Uhr fängt die Schule an und um sechs Uhr komme ich wieder nach Hause. Um halb sieben mache ich noch Hip-Hop im Tanzstudio. Um acht Uhr abends isst die ganze Familie zu Abend. Um halb neun sehe ich noch etwas fern oder höre Radio. Um halb zehn gehe ich ins Bett. Ich bin immer sehr müde und schlafe gleich ein.

**b** Notiere Sonias Tagesablauf.

| | |
|---|---|
| 8.00 | Der Wecker klingelt. |
| ............. | Sonia ........................................................ |
| ............. | Sonia ........................................................ |
| ............. | Sie ................. mit den Hausaufgaben ................. |
| ............. | Sonia ................. mit der Mutter ........................ |
| ............. | ........................................................ |
| ............. | ........................................................ |
| ............. | ........................................................ |
| ............. | ........................................................ |
| ............. | ........................................................ |

**c** Was fällt dir an Sonias Tagesablauf auf? Wie findest du das?

### 7 Erkennst du die Verben?

 **a** Markiere alle Verben in Sonias Tagesablauf in Übung 6.
Achte auf die trennbaren Verben.

**b** Notiere die trennbaren Verben im Infinitiv.
Schreib dann die ganzen Sätze daneben.

**Denk dran!**
Manche Verben haben zwei Teile. Man nennt sie „trennbare Verben".

1. _aufstehen_ ...................................    _Um zehn nach acht_ ................................................

2. .................................................    _Um neun_ ...........................................................

3. .................................................    ...........................................................................

4. .................................................    _Um halb neun Uhr_ ..............................................

5. .................................................    _Ich_ ....................................................................

**c** Ergänze bitte die beiden Sätze in der Tabelle.

| Position I: Subjekt / anderes Satzglied | Position II: Verb Teil 1 | | Verb Teil 2 |
|---|---|---|---|
| 1. Um zehn nach acht | ................................... | ich | ................................... |
| 5. Ich | ................................... | gleich | ................................... |

### 8 Was passt zusammen?

Welche trennbaren Verben findest du? Verbinde die Teile und schreib die Verben auf.

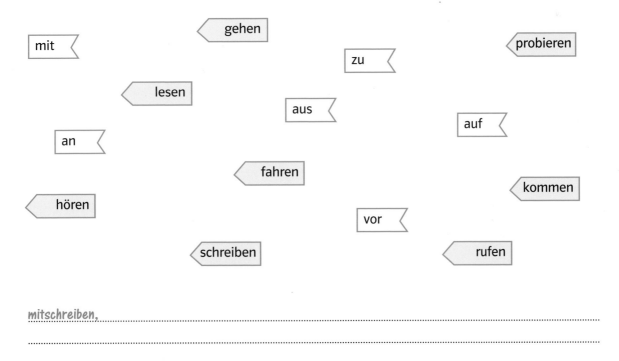

_mitschreiben,_ ...............................................................................................................

..................................................................................................................................

# 5 Heute ist mein Tag!

### 9 Heute ist Freitag

**a** Welche Wörtchen fehlen? Ergänze bitte den Text.

ein

aus

an

mit

fern

auf

zu

Am Freitag steht Martina um halb sieben ..................... Die Schule fängt um 8 Uhr ..................... Im Deutschunterricht hört sie gut ..................... Die Lehrerin fängt eine neue Lektion ..................... Sie probiert auch eine neue Übung ..................... Alle schreiben ..................... Am Nachmittag ruft Martina ihre Freundin Betty ......................
Sie sagt: „Ich gehe ins Tanzforum. Kommst du .....................?" Betty tanzt auch gern und geht ..................... Am Abend sehen sie bei Betty ..................... Müde schlafen sie ......................

**b** Lies die Geschichte vor.

### 10 Ein Brief

Mika schreibt an seine Brieffreundin Carola in der Schweiz. Ergänze bitte den Brief.

das Frühstück ○
das Mittagessen ○
das Abendessen / Abendbrot

frühstücken ○
zu Mittag essen ○
zu Abend essen

Liebe Carola,

also hier in Deutschland ist vieles ganz anders als in Finnland. Besonders das Essen und die Essenszeiten! Meine Gasteltern wecken mich schon um sechs Uhr. Da bin ich noch sooooo müde!
................................................ ist dann um 7 Uhr. Wir ................................................ alle zusammen.
Um ein Uhr ist Schulschluss, alle gehen nach Hause und ................................................ . Zum Glück ist
................................................ warm. Aber ................................................ ist nicht warm, es ist kalt:
Brot, Käse und Wurst. Das finde ich schrecklich! Wir ................................................ um halb sieben
................................................ . Das finde ich sehr früh. Ich esse dann noch Schokolade und Bonbons.
Die sind lecker!
Ich schreibe bald wieder,
dein Mika

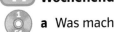

## 11 Wochenendprogramm  ➡ KB: 8

**a** Was machen die Jugendlichen am Wochenende? Hör bitte zu und kreuz an.

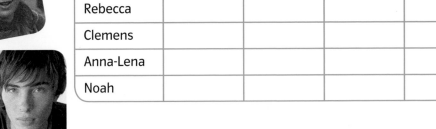

|  | Kino | Sport | Freunde | Musik |
|---|---|---|---|---|
| Rebecca |  |  |  |  |
| Clemens |  |  |  |  |
| Anna-Lena |  |  |  |  |
| Noah |  |  |  |  |

**b** Hör noch einmal. Was ist richtig? Was ist falsch? Kreuz bitte an.

|  | richtig | falsch |
|---|---|---|
| 1. Rebecca hat am Wochenende total viel Spaß mit ihren Freunden. |  |  |
| 2. Clemens hat viel Zeit am Wochenende. |  |  |
| 3. Anna-Lena spielt am Wochenende immer Volleyball. |  |  |
| 4. Noah geht am Wochenende gern in ein Rock- oder Popkonzert. |  |  |

## 12 Eine E-Mail von Ebby  ➡ KB: 9

Repariere bitte den Text. Welches Wort passt in welche Lücke? Trag den Buchstaben ein.

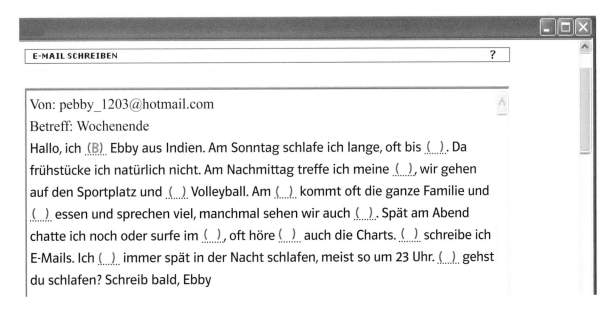

E-MAIL SCHREIBEN    ?

Von: pebby_1203@hotmail.com

Betreff: Wochenende

Hallo, ich (B) Ebby aus Indien. Am Sonntag schlafe ich lange, oft bis ( ). Da frühstücke ich natürlich nicht. Am Nachmittag treffe ich meine ( ), wir gehen auf den Sportplatz und ( ) Volleyball. Am ( ) kommt oft die ganze Familie und ( ) essen und sprechen viel, manchmal sehen wir auch ( ). Spät am Abend chatte ich noch oder surfe im ( ), oft höre ( ) auch die Charts. ( ) schreibe ich E-Mails. Ich ( ) immer spät in der Nacht schlafen, meist so um 23 Uhr. ( ) gehst du schlafen? Schreib bald, Ebby

| A | Wann | B | bin | C | fern | D | wir |
|---|---|---|---|---|---|---|---|
| E | spielen | F | Heute | G | gehe | H | ich |
| I | Abend | K | Mittag | L | Internet | M | Freunde |

# 5 Heute ist mein Tag!

**13** **Was ist heute mit Peter los?**  ➡ **KB:** 10

**a** Peter will heute nichts tun. Was sagst du? Ergänze bitte.

| **Peter:** | **Du:** |
|---|---|
| 1. Heute stehe ich nicht auf. | ◗ *Was, du stehst nicht auf!?* .................... |
| 2. Heute frühstücke ich nicht. | ◗ Was, .................................................. |
| 3. Heute gehe ich nicht in die Schule. | ◗ Was, .................................................. |
| 4. Heute spiele ich nicht Tennis. | ◗ Was, .................................................. |
| 5. Heute esse ich nicht zu Mittag! | ◗ Was, .................................................. |
| 6. Heute chatte ich nicht im Internet! | ◗ Was, .................................................. |
| 7. Heute trainiere ich nicht. | ◗ Was, .................................................. |
| 8. Heute sehe ich nicht fern! | ◗ Was, .................................................. |
| 9. Heute gehe ich auch nicht schlafen. | ◗ Was, .................................................. |

Ich bin so müde, ich bleibe heute im Bett. Aber morgen, morgen ist alles anders!

Was ist los mit dir, Peter?

**b** Sieh dir noch einmal die Sätze in **a** an: Wo steht *nicht*? Markiere die Stellen.

**c** Erzähl, wie es *morgen* ist.

● Morgen steht Peter wieder auf.

 Oder:

● Peter steht morgen wieder auf.

**Denk dran!**
Die Position des Verbs ist fest.
Das Subjekt kann wandern.

**14** **Heute so, morgen so**

Manchmal läuft der Unterricht sehr gut. Manchmal läuft er gar nicht gut.
Beschreib einen schlechten Unterrichtstag.

☺

Heute läuft der Unterricht gut:

Die Schüler hören zu, sie machen mit.

Sie fragen und sie antworten.

Sie kommen an die Tafel,

sie lesen vor und sie schreiben mit.

Die Lehrerin ist zufrieden.

☹

Heute läuft der Unterricht nicht gut: ...................

............................................................

............................................................

............................................................

............................................................

## 15 Buchstabenrätsel  ➡ KB: 11

**a** Finde die Buchstabenkombinationen. Lies den Text vor.

M❖n Wecker klingelt. H♥te ist Fr❖tag und ich stehe wie immer zu spät ✿f. Ich habe k❖ne Z❖t für das Frühstück, m❖ne Mutter gibt mir m❖n Schulbrot. Dann l✿fe ich ✿s dem H✿s. M❖ne Fr♥nde warten schon.

In der Schule ist viel los. Herr N♥ner, der Klassenlehrer, bringt ❖ne N♥e mit. Sie h❖ßt Cl✿dia und ist n♥ in L❖pzig. Sie bl❖bt jetzt in m❖ner Klasse. In der nächsten Stunde haben wir D♥tsch – Fr✿ L✿fer gibt mal wieder viel zu viele H✿s✿fgaben. Aber n❖n – ich tr✦me. H♥te ist doch Samstag und ich habe fr❖.

✿ = ..............
♥ = ..............
✿ = ..............
✦ = ..............

**b** Ordne bitte die Wörter von **a** zu. Finde noch weitere Beispiele in den Lektionen 1–5.

au:

eu:

ei: mein

äu:

## 16 Freizeitstress  ➡ KB: 13

**a** Michelle hat jeden Wochentag nach der Schule Programm. Und du? Ergänze bitte.

| Michelle | |
| --- | --- |
| montags | Hip-Hop; Theatergruppe |
| dienstags | Gitarrenstunde; Probe mit Band |
| mittwochs | Thai-Bo; Yoga |
| donnerstags | Probe mit Band |
| freitags | Hip-Hop; Kino |
| samstags | Konzert mit Band |

| Du | |
| --- | --- |
| montags | |
| dienstags | |
| mittwochs | |
| donnerstags | |
| freitags | |
| samstags | |

**b** Sprecht über Michelles und euer Freizeitprogramm.

> Montags hat Michelle immer Hip-Hop und Theatergruppe. Ich ... montags immer ...

# 5 Heute ist mein Tag!

**17** **Geybstagswünsche** → **KB:** 14

Was wünscht sich Valerie zum Geburtstag? Schreib ihre Wünsche in die Sprechblase.

> Valerie, was möchtest du zum Geburtstag?

Die Eltern fragen:

Ich möchte ein Videospiel, ........................

.................................................................

.................................................................

.................................................................

.................................................................

................................................ und ....

Die Eltern sagen:

> Stopp, stopp, das ist zu viel!

**18** **Endlich Geburtstag!** → **KB:** 15

**a** Valerie ist enttäuscht. Warum? Kreuz das passende Negationswort an.

Auf dem Geburtstagstisch sieht Valerie …

| keinen | kein | keine | keine (Pl.) | |
|--------|------|-------|-------------|-----------------|
| | | | | Videospiel |
| | | | | Kette |
| | | | | Turnschuhe |
| | | | | Taschenrechner |
| | | | | Bücher |
| | | | | Mikroskop |
| | | | | Rucksack |
| | | | | Wörterbuch |
| | | | | Rock |
| | | | | Sporttasche |
| | | | | CD-Player |

**b** Ergänze bitte.

ABER: Sie sieht ..................... Fahrrad, ..................... Kuchen und ..................... Katze!

**19** einen / keinen . . .

 Ergänze bitte die Tabelle.

|  | der Rucksack<br>ein Rucksack | das T-Shirt<br>ein T-Shirt | die Kette<br>eine Kette | die Turnschuhe<br>Turnschuhe |
|---|---|---|---|---|
| Valerie möchte … | ein**en** Rucksack, | ............... T-Shirt, | ............... Kette, | ............................... . |
| Sie sieht … | k............... Rucksack, | k............... T-Shirt, | k............... Kette, | k............... Turnschuhe. |

**Sei schlau!**
Du musst nur **eine** neue
Form lernen.

Sie möchte ein**en** Rucksack.
Sie sieht kein**en** Rucksack.

**20** **Ein freier Nachmittag**

**a** Was machen die Personen in ihrer Freizeit? Verbinde bitte.

Carla        zeichnen

Nico            backen

Verena    kaufen

Sandra           trinken

Karsten      singen

Jürgen         schreiben

Lena      lesen

Anja           essen

Noah    spielen

Alex           treffen

**b** Schreib ganze Sätze in dein Heft wie im Beispiel.

*Carla kauft einen Pullover.*

**c** Und du? Machst du das auch in deiner Freizeit? Übt zu zweit wie im Beispiel.

● *Kaufst du auch einen Pullover?*
○ *Nein, ich kaufe keinen Pullover, ich kaufe einen Rock / eine Hose …*

# 5 Meine Grammatik

## Trennbare Verben und Satzklammer

Ergänze in der Tabelle die Sätze bitte.

auf ✂ stehen      fern ✂ sehen      zu ✂ hören

an ✂ fangen      aus ✂ probieren

| | | Verb Teil 1 | | Verb Teil 2 |
|---|---|---|---|---|
| **Aussagesatz** | Morgens | stehe | ich früh | auf. |
| | ..................... | ..................... | um ..................... | an. |
| | Am Abend | ..................... | ich manchmal | ..................... |
| **W-Frage** | Was | probiert | Mika in Deutschland | aus? |
| | Wann | ..................... | du am Sonntag | .....................? |
| **Ja / Nein-Frage** | | ..................... | die Lehrerin eine neue Lektion | .....................? |
| | Hören | | die Schüler immer | .....................? |

**Satzklammer**

## Nominativ – Akkusativ

Was ist in deinem Zimmer? Was siehst du? Wähl passende Wörter aus und ergänze die Sätze.

> das Fahrrad ⊙ das Flugzeug ⊙ Kleidungsstücke ⊙ die Katze ⊙
> der Tisch ⊙ Blitze ⊙ der Stuhl ⊙ das Klavier ⊙ die Gitarre ⊙
> der Schrank ⊙ der Lehrer ⊙ Bücher

| | Nominativ | Akkusativ |
|---|---|---|
| **(der) maskulin** | Ist da ein .....................? | Ja, ich sehe ..................... . <br> Nein, ich sehe ..................... . |
| **(das) neutral** | Ist da ein .....................? | Ja, ich sehe ..................... . <br> Nein, ich sehe ..................... . |
| **(die) feminin** | Ist da eine .....................? | Ja, ich sehe ..................... . <br> Nein, ich sehe ..................... . |
| **(die) Plural** | Sind da .....................? | Ja, ich sehe ..................... . <br> Nein, ich sehe ..................... . |

## Die Negation mit *nicht* – Die Negation mit *kein*

Du bist ganz anders als deine Freunde. Ergänze bitte.

1. Meine Freundin singt gern.      *Ich singe nicht gern.* .....................
2. Mein Freund hat ein Moped.      .....................
3. Meine Freunde gehen heute in die Schule.      .....................
4. Mein Freund trinkt eine Cola.      .....................

# Mein Wortschatz

## Wie viel Uhr ist es gerade?

Schreib die Uhrzeit und die Tageszeit auf.

Es ist gerade _____ am _____ .

## Was hast du? Was hast du nicht?

**a** Ergänze bitte.

Ich habe …

einen _____ , aber ich habe keinen _____

ein _____ , aber ich habe kein _____

eine _____ , aber ich habe keine _____

_____ , aber ich habe keine _____

 **b** Vergleiche mit deinem Partner / deiner Partnerin.

## Eine SMS-Nachricht

Du möchtest dich zum Wochenende mit einem Freund / einer Freundin verabreden. Schreib eine SMS.

_____
_____
_____
_____

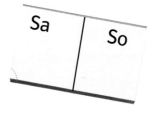

## Fragebogen

Was stimmt? Schreib bitte ganze Sätze.

1. Gehst du gern in die Schule? ❍ _____
2. Siehst du viel fern? ❍ _____
3. Hast du ein Fahrrad? ❍ _____
4. Bist du blond? ❍ _____
6. Hast du Freizeitstress? ❍ _____
7. Hast du einen Lieblingsstar? ❍ _____
8. Spielst du ein Instrument? ❍ _____
9. Fährst du Schi? ❍ _____

## Wörter suchen

Such in der Wörterliste im Kursbuch fünf Wörter mit der Pluralform -e.

*der Tag, die Tage* ................................................................................

# 6 Treffpunkte

**1** Wo bist du? – Kommst du? → KB: 1

Ergänze bitte.

Einkaufszentrum ○ Stadion ○ Eiscafé ○ Kino ○ Deutschunterricht

| | | |
|---|---|---|
| Hallo, Dany, wo bist du denn gerade? | Ich bin | *im* ............................................... Das Spiel ist toll!<br>..............................................., Eis essen.<br>..............................................., shoppen. |
| | | ............................................... und träume.<br>.............................................. Der Film ist super! |

Kommst du?

| | |
|---|---|
| O.k., ich komme gern | *ins* ............... Einkaufszentrum.<br>................... Stadion.<br>................... Eiscafé.<br>................... Kino.<br><br>Aber in die Schule komme ich nicht! |

Also, bis gleich!

**2** SMS-Nachrichten

**a** Schreib mit den angegebenen Wörtern eine SMS an deine Freunde.

sein / im / gerade / wir / Café Einstein /
Kuchen / und / essen /.
ihr / auch / kommen?

**b** Was schreibt Bea an Mirko?

fernsehen / zu / ich / sein / Hause / und /.
Fußballspiel / gerade / das / anfangen /.
auch / fernsehen / du?

**c** Was schreibt Jörg an seine Mutter?

Moni / gehen / ich / Paul / und / mit / shoppen /.
um / Hause / kommen / Uhr / nach / ich / fünf /.

**3** **Was sagst du?** ➡ **KB:** 2

Du findest einen Film sehr gut ☺ / gar nicht gut ☹. Was sagst du? Sammelt in Teams.

| ☺ | ☹ |
|---|---|
| ............................................................... | Der Film ist total langweilig. |
| ............................................................... | ............................................................... |
| ............................................................... | ............................................................... |

**4** **Satzbausteine** ➡ **KB:** 3

Kombiniere die Satzteile.

| Um wie viel Uhr | ist | | | | ist | am | Star Wars III. |
|---|---|---|---|---|---|---|---|
| Wie | läuft | | | | läuft | um | Cinecity. |
| Wann | beginnt | der Film? | | Er | beginnt | im | 20 bis 22 Uhr. |
| Wo | startet | | | | startet | von | 3.4. |
| Von wann bis wann | heißt | | | | heißt | | Samstag. |

Star Wars III.
Cinecity.
20 bis 22 Uhr.
3.4.
Samstag.
18 Uhr.
Dienstag bis Donnerstag.
spannend.

**5** **Informationen über das Kinoprogramm**

**a** Du informierst dich über das Kinoprogramm. Welche Fragen stellst du? Verbinde bitte.

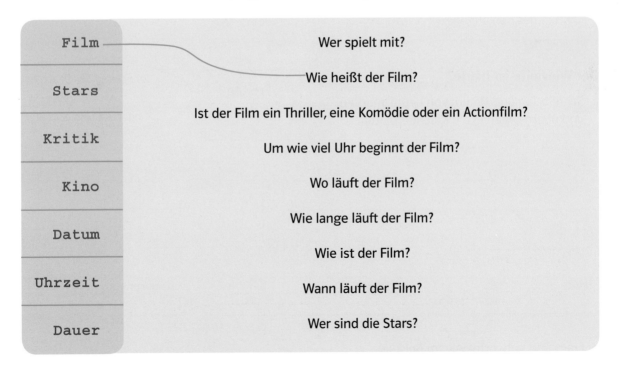

Film — Wie heißt der Film?

Stars — Wer spielt mit?

Kritik — Ist der Film ein Thriller, eine Komödie oder ein Actionfilm?

Kino — Um wie viel Uhr beginnt der Film?

Datum — Wo läuft der Film?

Uhrzeit — Wie lange läuft der Film?

Dauer — Wie ist der Film?

Wann läuft der Film?

Wer sind die Stars?

**b** Einen Filmtitel erraten: Denk an einen Film und schreib den Titel auf einen Zettel.
Dein Partner / Deine Partnerin stellt Fragen.

# 6 Treffpunkte

**6** **Am Abend schreibt Karin in ihr Tagebuch** ➔ **KB:** 4

Schreib die Sätze weiter.

Liebes Tagebuch!
Heute ist der ........................., alles ist
.........................!
Ich denke immer nur an .........................
Christoph ist total .........................!
Warum ruft er .........................?
Ich warte und warte und .........................
Die Zeit geht soooo .........................!
Ich sehe immer auf die .........................

Es ist schon .........................
Warum ruft er ......................... ?!?
Das macht mich ganz .........................!
Ich bin schon soooo .........................
    Gute ........................., liebes
.........................!
Bis .........................!
Vielleicht .........................

**7** **Der Wievielte ist heute?**

**a** Schreib Tag und Datum von heute, morgen und übermorgen in die Kalenderblätter.

Freitag
**13**

Ist Freitag der Dreizehnte ein Glückstag oder ein Unglückstag?

Heute ist ... , der ...          Morgen          Übermorgen
...............................          ...............................          ...............................
...............................          ...............................          ...............................

 **b** Fragt und antwortet wie im Beispiel.

● Der Wievielte ist heute? (morgen, übermorgen, am Freitag, am Sonntag)
● Der ...

## 8 Wer hat wann Geburtstag?

 **a** Hör bitte zu und verbinde die Daten mit den Personen.

1.8.   17.7.   20.9.
*Alles Gute zum Geburtstag!*
20.9.   3.6.   31.12.

Jan

Alina und Alena

Frau Becker

Herr Becker

Linus

 **b** Wann hast du Geburtstag? Macht eine Umfrage in der Klasse. Hängt das Geburtstagsposter an die Wand.

| Geburtstage in der Klasse | |
|---|---|
| Datum | Name |
| | |

## 9 Verabredung fürs Kino: Dialogmuster  ➡ KB: 6

Wählt einen Film aus dem Kinoprogramm. Spielt den Dialog. Das Dialoggerüst hilft euch.

**Du:**

Hallo,...

... Kino?

...

...

...

... treffen?

**Dein Partner / Deine Partnerin:**

...

Was?

Wie?

Wo?

Wann (Tag, Uhrzeit, von ... bis ...)

O.k. ...

...

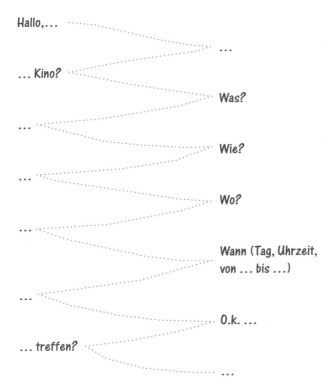

**NEU im KINO – NEU im Kino – NEU im Ki**
**Stadtkino**
4.7., 6.7.: 16.15, 18.15, 20.30
**Sophie Scholl – Die letzten Tage**
mit Julia Jentsch als Sophie
„Die weiße Rose" – Widerstand gegen das
Nazi-Regime

**Cine Center**
12.7., 15.7.: 20.00, 22.30
**Million Dollar Baby**
mit Hilary Swank, Clint Eastwood
Drama einer jungen Boxerin

**Metro**
20.7., 21.7.: 16.30, 18.30, 20.30
**Drei Männer und ein Baby**
Roland Giraud, Michel Boujenah, André Dussolier
Eine Komödie – echt witzig!

**Atlantis**
nur 26.7.: nur 18.15
**Shark 2**
Ein großer Monster-Spaß!

# 6 Treffpunkte

## 10 Schwierige Verabredung

**a** Schreib deine Nachmittagstermine in den Terminplaner.
Deine Partnerin / Dein Partner darf deinen Terminplaner nicht sehen.

| Zeit | Montag | Dienstag | Mittwoch | Donnerstag | Freitag | Samstag | Sonntag |
|------|--------|----------|----------|------------|---------|---------|---------|
| 14.00 | | | | | | | |
| 15.00 | | | | | | | |
| 16.00 | | | | | | | |
| 17.00 | | | | | | | |
| 18.00 | | | | | | | |
| 19.00 | | | | | | | |

 **b** Du möchtest mit deiner Partnerin / deinem Partner schwimmen gehen. Sucht einen passenden Termin. Fragt und antwortet wie im Beispiel.

- Gehen wir schwimmen?
- Ja, toll! Wann?
- Vielleicht am 12.3., am Nachmittag?
- Am 12.3.? Montagnachmittag?
- Ja, genau.
- Da gehe ich shoppen / habe ich Sport von ... bis ... / ....
- Und am ...?

**Pass auf!**
Montagnachmittag
Dienstagvormittag
Mittwochabend
= ein Wort

## 11 Komische Merkzettel   → KB: 7

Was stimmt hier nicht? Schreib die Merkzettel richtig in dein Heft.

**Ich muss:**
rauchen
spät schlafen gehen
für 10 Euro im Monat telefonieren
im Internet surfen
eine Geburtstagsparty machen
Freunde einladen
Mofa fahren
am Sonntag ausschlafen

**Ich darf nicht:**
abends ausgehen
Moped fahren
Hausaufgaben machen
pünktlich zu Hause sein
Vokabeln lernen
Klavier üben

**Ich darf:**
Terrarium putzen (Dienstag)
bis Mitternacht fernsehen
Papas Auto waschen (Samstag)
mein Zimmer aufräumen
in die Schule gehen

## 12 Dein Merkzettel

Was musst du machen? Was darfst du und was darfst du nicht? Schreib Merkzettel und vergleiche dann mit deinen Klassenkameraden.

**Ich muss:**

**Ich darf nicht:**

**Ich darf:**

## 13 Im Deutschunterricht

Was müsst ihr im Deutschunterricht machen? Was dürft ihr nicht? Was dürft ihr? Ergänze bitte.

**Wir müssen:**

.............................................

.............................................

.............................................

.............................................

.............................................

**Wir dürfen nicht:**

.............................................

.............................................

.............................................

.............................................

.............................................

**Wir dürfen:**

.............................................

.............................................

.............................................

.............................................

.............................................

**Sei schlau!**
Lern beide Formen:
ich muss – wir müssen
ich darf – wir dürfen

## 14 Hast du Probleme?

Eleonora schreibt an das Jugendmagazin „Hallo Kids". Lies bitte den Leserbrief und ergänze *muss, darf, möchte*.

Hi! Ich bin 13 und ..................... so gern einen Hund haben! Aber dafür ..................... ich jetzt in Deutsch super viel lernen, ich ..................... immer pünktlich alle meine Hausaufgaben machen, mein Zimmer schön aufräumen und ich ..................... immer vor 22 Uhr schlafen gehen. Sind meine Eltern jetzt total verrückt?

Eigentlich sind meine Eltern sehr nett: Ich ..................... ziemlich viel: Ich habe ein Handy und ..................... für 15 Euro im Monat telefonieren, ich ..................... abends manchmal ausgehen (auch bis 23 Uhr!), und ich .....................

im Sommer immer eine Megaparty machen. Meine Freundin Eva ..................... das alles nicht! Sie ..................... viel zu Hause helfen und sie ..................... abends immer um 7 Uhr zu Hause sein. Und sie ..................... doch so gern einmal abends ausgehen.

Also, was mache ich jetzt? Ich ..................... einen Hund, aber das, was meine Eltern sagen — das ist wirklich zu stressig!!

Eleonora (Zürich)

## 15 Wohin gehen die Jugendlichen? ➔ KB: 8

Was ist richtig? Kreuz bitte an.

| | in die | ins | |
|---|---|---|---|
| Morgens gehen sie | ✕ | | Schule. |
| Sie gehen zuerst | | | Klassenzimmer. |
| Dann gehen sie | | | Chemielabor. |
| Zum Mittagessen gehen sie | | | Mensa. |
| Am Nachmittag gehen sie | | | Internetcafé … |
| oder | | | Tanzstudio. |
| Abends gehen sie manchmal mit den Eltern | | | Restaurant … |
| oder mit Freunden | | | Disko. |

**Denk dran!**
**die** Disko
Sie gehen **in die** Disko.
**das** Kino
Sie gehen **ins** Kino.
(ins = in das)

**16** **Satzbausteine** → KB: 9

 Baut Sätze wie im Beispiel.

ich
Tommi (17 J.)
Eva (13 J.)
meine Lehrerin /
mein Lehrer
meine Mutter

muss
darf
darf nicht
möchte

abends allein ausgehen
allein in die Disko gehen
meinen Kleiderschrank aufräumen
früh aufstehen
keine Cola trinken
nach Hause gehen
einen Stundenplan machen
viele Bücher lesen
im Restaurant essen
eine Geburtstagsparty machen
Informationen sammeln
Kuchen backen
englische Vokabeln lernen
Mofa / Moped fahren
schon um 6 Uhr frühstücken
Rad fahren
Deutsch üben
allein shoppen gehen
abends Schuhe putzen
keinen Kaffee trinken

wir
meine Freunde
meine Eltern
meine Geschwister

müssen
dürfen
dürfen nicht
möchten

Eva | darf | eine Geburtstagsparty machen.

**17** **Sprechtraining: ö – ü / i – ü / e – ö** → KB: 11

**a** Hör bitte zu. Ist der Vokal kurz oder lang? Kreuz an.

| | kurz | lang |
|---|---|---|
| schön | | |
| Wörter | | |
| Röcke | | |
| früh | | |
| müssen | | |
| müde | | |

**Dein Trick:**
Sprich *vier* mit
runden Lippen,
dann wird daraus *für*.
Sprich *lesen* mit
runden Lippen,
dann wird daraus *lösen*.

**b** Hör zu und sprich nach.

fünf Lieder ○ vier Brüder ○ sechs Flöten ○ zehn Röcke

elf Wörter ○ vierzig Stück ○ schön müde ○ viel Glück

**18** **Sprechtraining: Was ist schön? Was ist blöd?**

Ergänze die Sätze. Lies sie dann laut vor.

Flöte spielen ist **?** Lieder üben ist **?** Musik hören ist **?** Bücher lesen ist **?** Wörter lernen ist **?**

Mützen stricken ist **?** Surfen dürfen ist **?** Früh frühstücken ist **?** Küssen ist **?** Schüler sein ist **?**

**19** **Essen und trinken** ➡ **KB:** 13

**a** Hier sind sind 13 Wörter versteckt. Kannst du sie finden? Markiere sie.

| D | K | A | F | F | E | E | L | R | C | Z | K | P | N |
|---|---|---|---|---|---|---|---|---|---|---|---|---|---|
| R | T | P | X | I | R | V | A | M | L | W | U | S | Y |
| A | D | F | H | J | P | D | S | E | Q | N | G | B | C |
| R | N | E | H | E | I | S | K | A | F | F | E | E | X |
| S | T | L | C | G | K | I | J | O | S | W | L | V | E |
| Z | X | S | T | Z | U | D | S | W | Q | A | Z | E | I |
| A | V | A | N | I | L | L | E | E | I | S | U | O | S |
| C | U | F | O | R | A | N | G | E | N | S | A | F | T |
| O | P | T | O | A | S | T | R | D | M | E | S | Y | O |
| L | X | Z | I | B | E | W | N | E | F | R | F | V | R |
| A | E | Z | L | O | I | G | K | U | C | H | E | N | T |
| M | I | L | C | H | S | H | A | K | E | H | N | B | E |

**b** Was kann man essen? Was kann man trinken? Schreib die Wörter in eine Tabelle.

**Denk dran!**
das Café =
Lokal
der Kaffee =
Getränk

| essen | trinken |
|-------|---------|
| ............................................ | *der Kaffee,* ............................... |
| ............................................ | ............................................ |

**20** **Im Eiscafé: Was sagst du?** ➡ **KB:** 14

Was sagst du zur Kellnerin? Kreuz bitte an.

*Was darf es sein?*

**1. Was darf es sein?**
☐ Einen Apfelsaft, bitte.
☐ Ich muss einen Saft trinken.
☐ Zahlen, bitte!

**2. Möchtest du auch etwas essen?**
☐ Ich möchte einen Eiskaffee.
☐ Nein, danke.
☐ Ich frühstücke nicht.

**3. Du möchtest zahlen?**
☐ Nein, ich möchte nichts.
☐ Ja, bitte!
☐ Ja, ich esse auch einen Toast.

**4. Das macht 2 Euro 20.**
☐ Hier, 2 Euro 50. Das stimmt so!
☐ Ich zahle 3 Euro.
☐ Danke!

**21** **Im Eiscafé: Was sagt die Kellnerin?**

Ergänze den Dialog.

1. ................................................ ⊙ Guten Tag!
2. ................................................? ⊙ Also, wir möchten einen Eiskaffee und ein Mineralwasser.
3. ................................................? ⊙ Ja, bitte. Bringen Sie bitte noch ein Vanilleeis.
4. ................................................? ⊙ Ich möchte einen Toast.
5. ................................................ ⊙ Hier, 12 Euro, danke!

# 6 Meine Grammatik

### Modalverben (1)

**a** Ergänze die Tabelle.

*Ich muss lernen.*

|  | müssen | dürfen |
|---|---|---|
| **ich** | ................. | ................. |
| **du** | musst lernen | darfst anfangen |
| **er / es / sie** | muss rechnen | ................. |
| **wir** | ................. | ................. |
| **ihr** | müsst schlafen | dürft fernsehen |
| **sie / Sie** | müssen malen | dürfen tanzen |

**b** Welche Formen sind immer gleich? Schreib sie auf die Blätter.

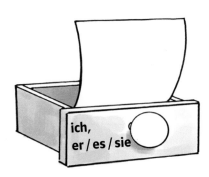

ich,
er / es / sie

wir,
sie / Sie

**So sagt man im Eiscafé:**

Ich möcht**e** zahlen.

Du möchtest zahlen.

Er / Sie möcht**e** zahlen.

Wir möchten zahlen.

Ihr möchtet zahlen.

Sie / sie möchten zahlen.

### Modalverben und Satzklammer

Ergänze bitte die Sätze in der Tabelle.

|  |  | Modalverb |  | Infinitiv |
|---|---|---|---|---|
| **Aussagesatz** | Kinder | dürfen | Fahrrad | fahren. |
|  | Ich | ................. | mein Zimmer | ................. |
|  | Am Abend | ................. | ich manchmal | ................. |
| **W-Frage** | Was | musst | du zu Hause | machen? |
|  | Wie lange | ................. | du am Sonntag | ................. |
| **Ja/Nein-Frage** |  | Darfst | du schon Moped | fahren? |
|  |  | ................. | ihr zu Hause viel | ................. |

**Satzklammer**

### Temporalangaben: Wann? (1)

Was machst du wann? Ergänze die Angaben. Schreib dann einen Satz.

Was machst du? ........................................................................................................

Datum? Am ..................................................................................................

Um wie viel Uhr? Um ..................................................................................................

(Oder:) Wie lange? Von .......................................... bis ..........................................

*Am* ........................................................................................................

# Mein Wortschatz

## Das Datum von heute

Schreib die Antwort in Worten in die Sprechblase.

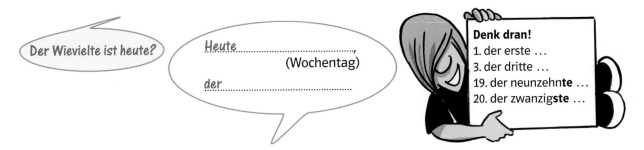

Der Wievielte ist heute?

Heute .................................,
(Wochentag)

der ................................

**Denk dran!**
1. der erste ...
3. der dritte ...
19. der neunzehn**te** ...
20. der zwanzig**ste** ...

## Familiengeburtstage

Wer hat wann Geburtstag? Ergänze die Sätze.

Meine Mutter hat am ........................................,

mein Vater ........................................,

ich ........................................,

mein ........................................ Geburtstag.

## Ich muss ..., ich möchte aber ...

Schreib ein persönliches Gedicht nach dem Beispiel von Übung 11 im Kursbuch.

Am Montag muss ich ...,
ich möchte aber ...
Am Dienstag ...,
ich ...

## Wie heißen die Adjektive?

**a** Ergänze die Endungen.

-isch -lich -ig -ent -ant

langweil........., fert........., schreck........., chaot........., romant........., witz........., exot.........,

interess........., intellig........., richt........., lust........., mod........., sport........., lock.........

**b** Hör bitte zu und sprich nach.

## Wörter suchen

Such in der Wörterliste im Kursbuch fünf Wörter mit der Pluralform *-s*.

das Kino, die Kinos ..........................................................................................

# Meilenstein 3

Die Reise geht weiter und du kannst wieder Meilensteine sammeln. Die Reise führt dich nun von Berlin nach Dresden. Zeichne deinen Weg auf der Landkarte auf Seite 4 ein.

**1** **Ich kann nach der Uhrzeit fragen und sagen, wie viel Uhr es ist.**

**a** Du möchtest die Uhrzeit wissen. Was fragst du?

................................................................

**b** Notiere die Uhrzeiten.

In . . .

| Mexico City | Rio de Janeiro | Berlin | New Delhi | Peking | Sydney |
|---|---|---|---|---|---|

ist es . . .

1. <u>acht (Uhr)</u>  2. ................  3. ................  4. ................  5. ................  6. ................

....................    ....................    ....................    ....................    ....................    ....................

........ / 6

**2** **Ich kann meinen Tagesablauf beschreiben.**

Beschreib deinen Tagesablauf in kurzen Sätzen.

7.00 aufstehen

8.30 Schule anfangen

12.30 nach Hause gehen

13.00 zu Mittag essen

14.00–15.00 Hausaufgaben machen

Nachmittag: Freunde treffen

Abend: fernsehen

1. <u>Ich stehe um</u> ................................

2. <u>Die Schule</u> ................................

3. <u>Um</u> ................................

4. ................................

5. ................................

6. ................................

7. ................................

........ / 14

**3** **Ich kann mich über einen Film informieren.**

Lies das Filmplakat und die Antworten. Stell die passenden Fragen.

1. ................................   ● Shark 2.

2. ................................   ● Im Atlantis.

3. ................................   ● Nur am 26.7.

4. ................................   ● Um Viertel nach sechs.

5. ................................   ● Der Film ist sehr lustig!

NEU im KINO – NEU im Kino
**Atlantis**
nur 26.7.: nur 18.15
**Shark 2**
Ein großer Monster-Spaß!
Echt lustig!

........ / 10

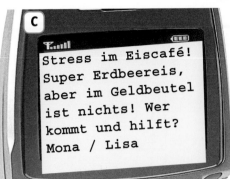

**4** Ich kann einfache SMS-Nachrichten verstehen.

Welche Aussage passt zu welcher SMS? Ordne zu. (Eine Aussage passt nicht.)

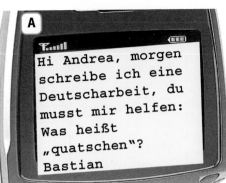

**A**

Hi Andrea, morgen
schreibe ich eine
Deutscharbeit, du
musst mir helfen:
Was heißt
„quatschen"?
Bastian

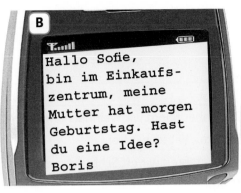

**B**

Hallo Sofie,
bin im Einkaufs-
zentrum, meine
Mutter hat morgen
Geburtstag. Hast
du eine Idee?
Boris

**C**

Stress im Eiscafé!
Super Erdbeereis,
aber im Geldbeutel
ist nichts! Wer
kommt und hilft?
Mona / Lisa

☐ 1. Sie möchten zahlen, aber sie haben kein Geld.
☐ 2. Er lernt Vokabeln.
☐ 3. Die Mutter macht eine Geburtstagsparty.
☐ 4. Er sucht ein Geschenk.

 ......... / 3

**5** Ich kann im Restaurant bestellen und bezahlen.

**a** Ergänze die Sprechblasen.

Was darf es sein?

2.
Ich esse ............. Stück Kuchen.

1.
Ich möchte einen ..............................

3.
Ich nehme ............. Toast und ein ..............................

**b** Was sagst du? Kreuz an. (Zwei Antworten sind richtig.)

**Du möchtest zahlen:**

☐ 1. Ich möchte zahlen.
☐ 2. Ich darf zahlen.
☐ 3. Zahlen, bitte!

**Du gibst Trinkgeld:**

☐ 4. Stimmt so.
☐ 5. Ist o.k. so. Danke.
☐ 6. Wie viel Trinkgeld nehmen Sie?

 ......... / 4

**6** Ich kann *dürfen* und *müssen* richtig gebrauchen.

Ergänze den Brief.

Hallo Franzi, wie geht es dir? ..................... du morgens auch so früh
aufstehen? ..................... du manchmal abends ausgehen? .....................
die Jugendlichen in Österreich mit 15 Moped fahren? ..................... ihr
nachmittags in die Schule gehen? Ich ..................... zu Hause viel helfen, aber
ich ..................... auch viel machen! Schreib bald! Dein Leo

 ......... / 3

**Wie viele Meilen hast du gesammelt?**
**Bis 20 Meilen:** Du brauchst neue Energien: Setz dich erst mal in ein Café und iss
was zur Stärkung. Wiederhol dann die Übungen von Lektion 5 und 6. Dann klappt es
sicher besser.
**21-30 Meilen:** Gut gemacht! Du darfst bis nach Dresden weiterfahren.
**31-40 Meilen:** Toll! Du darfst im Elbsandsteingebirge eine Klettertour machen.
Genieß die fantastische Landschaft! – Dann geht es weiter nach Nürnberg.

 ......... / 40

# 7 Hurra, ein Schulfest!

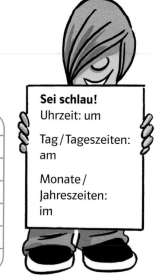

## 1 Wann? ➡ KB: 1

Was ist richtig? Kreuz bitte an.

**Sei schlau!**
Uhrzeit: um

Tag / Tageszeiten: am

Monate / Jahreszeiten: im

|  | Im | Am | Um |  |
|---|---|---|---|---|
| 1. | ✗ |  |  | Dezember feiern wir Weihnachten. |
| 2. |  |  |  | Samstag haben wir frei. |
| 3. |  |  |  | Winter fahren wir oft Schi. |
| 4. |  |  |  | 15. April ist das Schulfest. |
| 5. |  |  |  | wie viel Uhr beginnt das Schulfest? |
| 6. |  |  |  | Februar haben viele in der Klasse Geburtstag. |

## 2 Monatsnamen auf Deutsch

Such die deutschen Monatsnamen heraus und schreib sie auf die Kalenderblätter. Notiere wichtige Feste und Daten.

Januar ◦ Mai ◦ December ◦ Februar ◦ May ◦ April ◦ August ◦
January ◦ März ◦ September ◦ July ◦ Oktober ◦ February ◦
November ◦ Juli ◦ Dezember ◦ March ◦ June ◦ October ◦ Juni

```
..................     ..................     ..................     ..................     ..................     ..................

  Neujahr
```

```
..................     ..................     ..................     ..................     ..................     ..................
```

## 3 Ideen für ein Schulfest sammeln ➡ KB: 2

Was passt zusammen? Verbinde bitte. Manchmal gibt es mehrere Möglichkeiten.

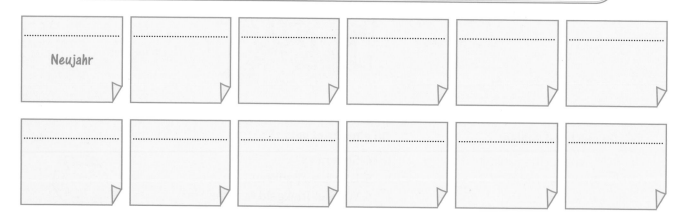

eine Einladung — kaufen
einen Kuchen — schreiben
ein Buffet — malen
ein Plakat — organisieren
Getränke — geben
Freunde — aufführen
eine Tombola — einladen
ein Theaterstück — backen
ein Konzert

*eine Einladung schreiben* ..................
..................
..................
..................
..................
..................
..................

### 4 Eine Klassenparty organisieren  ➔ KB: 3

Was wollt ihr machen und was könnt ihr machen? Ergänze bitte die Tabelle.

| Wir wollen: | Wir können: |
| --- | --- |
| tanzen | CDs mitbringen |
|  |  |
|  |  |
|  |  |

**Denk dran!**
„Ich will …" = starker Wunsch, wirkt manchmal unhöflich.
„Ich möchte …" wirkt höflicher.

### 5 Wunsch und Realität

Manchmal willst du etwas unbedingt haben oder machen, aber es geht nicht.
Schreib die Sätze weiter.

Ich will am Sonntag ausschlafen, aber _meine Tante aus Athen kommt um 9 Uhr._

Ich will ein Mofa kaufen, aber _____

Ich möchte eine Sachertorte backen, aber _____

Ich will ins Kino gehen, aber _____

Ich möchte Musik hören, aber _____

Ich will _____

Ich möchte _____

### 6 Was passt?

 **a** Formuliere Sätze wie im Beispiel. Schreib sie in dein Heft.

dürft      kannst                          will              dürfen

müsst              ich              könnt       darf

er      Sie

wollen      können      ihr      du      willst

wir      sie                                müssen

darfst      muss                      wollt      muss

kann

Ich kann, aber ich will nicht.
Er will, aber …
Ihr …

 **b** Welche Personalpronomen passen zu diesen Formen?

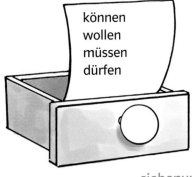

kann
will
muss
darf

können
wollen
müssen
dürfen

# 7 Hurra, ein Schulfest!

**7 Nimm zwei!** → **KB:** 4

Welche Formen passen zusammen? Verbinde sie und ergänze die Tabelle.

ich

es

Sie

sie

sie

er

Sie

euch

dich

ihr

mich

du

wir

es

sie

uns

sie

ihn

| Personalpronomen | |
|---|---|
| **Nominativ** | **Akkusativ** |
| ich | |
| | |
| | ihn |
| | es |
| sie | |
| wir | |
| | |
| sie | |

**8 Wo ist meine Tasche?**

**a** Sprecht wie im Beispiel.

● Wo ist mein Deutschbuch? Ich finde es nicht.
● Wo sind ...?

**b** Ergänze bitte die Tabelle.

| | | maskulin | neutral | feminin | Plural |
|---|---|---|---|---|---|
| **Bestimmter Artikel** | Nominativ | der Schal | ............... Handy | ............... Kette | ............... Socken |
| **Personal-pronomen** | Nominativ | er | ............... | ............... | ............... |
| | Akkusativ | ............... ❗ | ............... | ............... | ............... |

**Sei schlau!**

|        | n. | f. | Pl. |
|--------|----|----|-----|
| Nom.:  | es | sie | sie |
| Akk.:  | es | sie | sie |

Nur Akkusativ maskulin ändert sich.

**9 Wen lädst du auf deine Party ein?**

Wähl zwei Personen aus. Sprecht wie im Beispiel.

Jane

Marta und Oskar

Paul

Tim

Irina

Thomas, Olga und Rick

● Lädst du Irina ein?
● Ja, ich lade sie ein. / Nein ich lade sie nicht ein.

## 10 Bianca lädt ein

 **a** Lest und ergänzt die Dialoge.

**Dialog 1:**

- Hallo Martin, unsere Schule macht ein großes Fest. Ich möchte .................... gern einladen. Peter und Susi kommen auch. Du kennst .................... ja.
- O ja, ich komme gern. Du, mein Briefpartner aus Mexiko ist gerade da. Darf ich .................... mitbringen?
- Ja, klar, dann sehen wir .................... also am 15. April.

**Dialog 2:**

- Guten Tag, Frau Rabe, kann ich Olga sprechen?
- Leider nein, .................... ist nicht da. Aber sie kann .................... gern heute Abend anrufen.
- Prima. Wir machen ein Schulfest ... Frau Rabe, haben Sie vielleicht am 15. April Zeit? Dann möchte ich .................... natürlich auch einladen.
- Das ist aber nett! Ja, ich komme gern.

**Dialog 3:**

- Grüß .................... , Tante Ingrid! Ja ..., ich möchte .................... etwas fragen: Was macht ihr denn am 15. April, du und Onkel Paul? Ich möchte .................... zum Schulfest einladen. Habt ihr Zeit?
- Onkel Paul hat viel Arbeit ... Ich muss .................... noch fragen ... Sonst komme ich allein.
- Ja, gut, rufst du .................... dann an?

**b** Lest die Dialoge laut.

## 11 Einladungsgespräche  ➡ KB: 6

 **a** Drei Personen bilden ein Team. Überlegt euch, was ihr wann und wo feiern möchtet.

| Was? | Geburtstagsparty / Sommerfest / ... |
|---|---|
| Wann? | |
| Wo? | |

**b** Jeder wählt einen Gesprächspartner aus einem anderen Team. Ladet euch gegenseitig ein.

# 7 Hurra, ein Schulfest!

## 12 Eine schriftliche Einladung

Schreib eine Einladung. Wähl passende Elemente.

| |
|---|
| Hallo / Liebe / Lieber …! |
| Ich feiere / Wir feiern am … ein Schulfest / eine Geburtstagsparty / … |
| Ich lade dich / euch / Sie ein. |
| Wir machen … / spielen … / organisieren … / … |
| Kannst du / Könnt ihr / Können Sie kommen? |
| Hast du / Habt ihr / Haben Sie Zeit? |
| Hoffentlich! Tschüss / Bis bald |

*Einladung*

## 13 Aufforderungen ➜ KB: 8

Zu wem sagst du das? Schreib die Sätze in die Tabelle.

Backt einen Kuchen. ◦ Lies bitte ein Gedicht. ◦ Bringt bitte Getränke mit. ◦ Kaufen Sie bitte ein paar Zeitungen. ◦ Halten Sie bitte eine Rede. ◦ Nimm noch ein Stück Kuchen. ◦ Räumt bitte auf. ◦ Rufen Sie mich heute Abend an. ◦ Dann gute Nacht! Schlaf schön!

.................................

.................................

.................................

.................................

.................................

.................................

*Halten Sie bitte eine Rede.*

.................................

.................................

## 14 Imperativ

 Ergänze bitte.

| Infinitiv | Imperativ | | |
|---|---|---|---|
| | (du) | (ihr) | (Sie) |
| bringen | bring | | |
| schreiben | | | |
| basteln | bast**le** | bastelt | |
| rechnen | rechn**e** | | |
| aufräumen | | räumt … auf | |
| anfangen | | | |
| schlafen | schlaf | | |
| Unregelmäßige Verben: e ◦ i/ie | | | |
| nehmen | | nehmt | |
| essen | | esst | |

**Denk dran!**
lesen:
du liest ◦ Lies!
nehmen:
du nimmst ◦ Nimm!
essen:
du isst ◦ Iss!

## 15 Spaß muss sein!

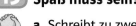

**a** Schreibt zu zweit eine Aufgabe auf einen Zettel.

> Geh an die Tafel und zeichne eine Katze.

> Singt zu zweit ein Lied von ...

> Schreiben Sie das Wort ...

**b** Sammelt alle Zettel ein. Zieht einen Zettel und macht die Aufgaben.

## 16 Ein Omelett backen   ➜ KB: 9

**a** Schreib das Rezept in der richtigen zeitlichen Abfolge in dein Heft.

Jetzt kommt das Omelett auf den Tisch. Guten Appetit!
Nimm danach 5 Eier und schlag sie auf.
Mix zum Schluss die Eier und gib eine Prise Salz und
Pfeffer dazu.
Gib dann etwas Öl in eine Pfanne.
Gieß zuerst die Eier in die Pfanne und back sie.

*Nimm zuerst ...*

**b** Schreib ein einfaches Rezept in dein Heft. Du kannst auch das Wörterbuch benutzen.

## 17 Was machst du heute Nachmittag?

Beschreib dein Programm.

> ein bisschen Musik hören   ○   ein Eis essen   ○   Hausaufgaben machen   ○
> meine Freundin / meinen Freund treffen   ○   zusammen in die Stadt gehen   ○
> Basketball spielen   ○   nach Hause gehen   ○   ...

*Zuerst ... Dann ... Danach ... Zum Schluss ...*

## 18 Aus einem Reiseführer: Das Wiener Kaffeehaus   ➜ KB: 10

Markiere die Personalpronomen im Text und das Wort, auf das sie sich beziehen. Auf wen bezieht sich *Sie*?

Kennen Sie das Wiener Kaffeehaus? Es ist eine typische Wiener
Institution. Sie können viele Stunden im Kaffeehaus sitzen und
müssen nur einen Kaffee, zum Beispiel eine Melange, bestellen.
Trinken Sie sie langsam, Sie haben Zeit. Im Kaffeehaus findet
man viele Zeitungen. Die Gäste lesen sie oder treffen Freunde. Sie
wollen zahlen, aber wo ist der Kellner? Rufen Sie ihn, vielleicht
kommt er schnell, vielleicht auch nicht. Aber: Bleiben Sie immer
freundlich!

# 7 Hurra, ein Schulfest!

## 19 Hilfe! Was ziehe ich an? ➜ KB: 11

**a** Hör bitte zu. In welcher Reihenfolge kommen die Kleidungsstücke vor?

**b** Hör noch einmal. Was ziehen die Mädchen an?

Verena zieht ................................................ Ayshe ................................ und ................................

## 20 Ein Projektwochenende: Wer nimmt was mit?

Ihr macht ein Projektwochenende. Jeder muss etwas mitnehmen. Sprecht wie im Beispiel.

## 21 Zettel von Mama ➜ KB: 13

Martina ist eine ganze Woche allein zu Hause – toll! Aber überall hängen Zettel – lauter Pflichten! Unterstreiche die Akkusative. Schreib sie dann in die Tabelle.

| | der / ein, … | das / ein, … | die / eine, … | die / – (Plural) |
|---|---|---|---|---|
| **Akkusativ** | *deinen Opa* | | | *die Blumen* |
| | | | | |
| | | | | |

## 22 Aufgaben formulieren

Die Deutschlehrerin muss kurz zum Schuldirektor. Du darfst sie vertreten und gibst den Klassenkameraden Aufgaben.

Schreibt den Text.

machen
schreiben
ergänzen
ordnen
lesen
nachsprechen

der Text
die Frage
die Wörter
die Sätze
der Dialog
die Aufgabe

## 23 Partygespräche  ➡ KB: 14

Ergänze die Sätze.

1. Ist das deine Schwester?
   Ich finde …………… total süß!

2. Wo sind meine Großeltern?
   Siehst du ……………?

3. …………… suchst du?
   ○ Die Tombola.

4. Das ist mein Bruder.
   Kennst du ……………?

5. Sind Sie Frau Sauter?
   Darf ich …………… etwas fragen?

6. …………… sehe ich denn da?
   Ist das nicht Pia?

7. Das Buffet ist total lecker.
   ○ Ich finde …………… auch sehr gut.

8. Tschüss. Ich muss gehen.
   Meine Eltern holen …………… ab.

9. Wie findest du die Party?
   ○ Ich finde …………… ein bisschen langweilig.

10. Trinkst du eine Limonade?
    Darf ich …………… einladen?

## 24 Sprechtraining: **Ich- und Ach-Laut**  ➡ KB: 15

 Sprecht zu zweit.

- Ich mache viel Sport. Und du?
- Ich kann schnell rechnen. Und du?
- Ich zeichne gern.
- Ich spreche gut Deutsch.
- Ich backe manchmal Sachertorte.
- Ich gehe Mittwochnachmittag shoppen.

- Ich auch. / Ich nicht.
- …
- …
- …
- …
- …

# 7 Meine Grammatik

### Modalverben (2)

Ergänze die Tabelle.

Ich kann nicht tanzen.

| | **können** | **wollen** |
|---|---|---|
| **ich** | ..................................... | ..................................... |
| **du** | kannst die Einladung schreiben | ..................................... |
| **er / es / sie** | kann fotografieren | will ein Gedicht aufsagen |
| **wir** | ..................................... | ..................................... |
| **ihr** | könnt ein Konzert geben | wollt eine Party machen |
| **sie** | ..................................... | wollen ein Schulfest organisieren |
| **Sie** | können eine Rede halten | ..................................... |

Ich will nicht tanzen.

### Personalpronomen im Akkusativ

Ergänze Verben und Personalpronomen.

> einladen ◦ sehen ◦ anrufen ◦ hören ◦
> abholen ◦ fragen ◦ suchen

| Singular | | Akkusativ | Nominativ |
|---|---|---|---|
| *Hörst* | du | ....................? | (ich) |
| .................... | *hole* | *dich ab.* | (du) |
| Ich | .................... | .................... | (er) |
| | .................... | .................... | (es) |
| | .................... | .................... | (sie) |

| Plural | | Akkusativ | Nominativ |
|---|---|---|---|
| *Ruft* | ihr | .............. an? | (wir) |
| .................... | .................... | .................... | (ihr) |
| Wir | .................... | .................... | (sie) |
| | .................... | .................... | (Sie) |

**Denk dran!**
Trennbare Verben haben zwei Verbteile.

### Imperativ

Ergänze und finde weitere Verben.

| **Infinitiv** | | | | |
|---|---|---|---|---|
| kaufen | Kauf Getränke. | Kauft Getränke. | Kaufen Sie bitte Getränke. | Kaufen Sie bitte Getränke. |
| mitfahren | .................... | Fahrt doch mit. | .................... | .................... |
| .................... | | | | |
| lesen: e ◦ i / ie | Lies ein Buch. | Lest ein Buch. | .................... | .................... |
| .................... | | | | |

# Mein Wortschatz

## Was machst du im Winter? Was machst du im Sommer?

Wähl aus. Formuliere Sätze und schreib sie in dein Heft.

Handschuhe kaufen

Geburtstag haben

Fahrrad fahren

Schi laufen

Hausaufgaben machen

im Park joggen

barfuß laufen

Fußball spielen

Eis essen

in die Disko gehen

viel lesen

Im Winter ...
Im Sommer ...
Im Winter und im Sommer ...

## Lieblingsjahreszeit – Lieblingsmonate

Schreib etwas über deine Lieblingsjahreszeit und deine Lieblingsmonate.

Meine Lieblingsjahreszeit ist ......................................... Da kann ich ...................................................................

..........................................................................................................................................................................

Meine Lieblingsmonate sind ....................................... Da kann ich ...................................................................

..........................................................................................................................................................................

## Wortschatzrätsel

Du willst eine Sachertorte backen.
Was brauchst du? Was musst du machen?
Ergänze die Wörter.

## Wörter suchen

Such in der Wörterliste der Lektionen 6 und 7
fünf Wörter mit der Pluralform -e.

das Fest, die Feste
..........................................................................................

..........................................................................................

..........................................................................................

# 8 Einkaufsbummel

## 1 Echt cool – gar nicht teuer! ➔ KB: 1

Hör die Jugendlichen vor dem Schaufenster noch einmal. Was stimmt? Schreib die Antworten in dein Heft.

| | | | |
|---|---|---|---|
| Erika<br>Stella<br>Gabriel<br>Mark | findet | die Turnschuhe<br>die Tasche<br>das T-Shirt<br>das Skateboard | etwas teuer<br>gar nicht teuer<br>toll<br>billig<br>echt cool<br>super schön<br>langweilig |

## 2 Preise

Sprecht zu zweit wie im Beispiel.

● Was kostet / kosten ...?

○ ... Euro. Das ist billig / gar nicht teuer / ...

> die Tasche ○ das T-Shirt ○ die Turnschuhe ○
> 33,50 € ○ 19,90 € ○ 52,50 €

**Denk dran!**

| Singular | Plural |
|---|---|
| 1 Cent | 10 Cent |
| 1 Euro | 10 Euro |

Man schreibt:
19,90 Euro
Man spricht:
19 Euro 90

## 3 Hörermeinungen per E-Mail ➔ KB: 2

**a** Wofür geben die Hörer ihr Taschengeld aus? Ordne bitte die Angaben in die Tabelle. Ergänze die Überschriften.

Hi, ihr im Radio!
Mein Taschengeld?
Ich gebe ziemlich
viel für Bücher aus,
ich lese echt gerne.
Dann kaufe ich noch
manchmal eine CD
oder eine DVD.
Paul

Hallo Freunde,
ich bekomme nicht
viel Taschengeld.
Meistens spare ich
und kaufe dann was
zum Anziehen, eine
Jeans, eine Bluse
oder so.
Lina

Hallo!
Ich gebe mein
Taschengeld nur für
Sportsachen aus: ein
Ticket für ein Fußball-
spiel, einen neuen
Volleyball oder neue,
coole Turnschuhe!
Luky

Liebe Hörer!
Ich gehe sehr gern
ins Kino: Mein ganzes
Taschengeld gebe ich
für Kino, Konzerte
und Zeitschriften aus.
Ursel

| Lektüre | | | | Musik, Film |
|---|---|---|---|---|
| .......................... | Kino | .......................... | .......................... | .......................... |
| .......................... | .......................... | .......................... | .......................... | .......................... |
| .......................... | .......................... | .......................... | .......................... | .......................... |

**b** Schreib bitte auch eine E-Mail zum Thema Taschengeld. Schreib in dein Heft.

## 4 Guck mal! ➡ KB: 3

Zeig, was sie meinen: Verbinde die Aussagen mit den Gegenständen.

2. „Das ist wirklich spannend. Du musst es lesen."

1. „Der ist echt teuer, aber er ist praktisch. Den wünsche ich mir zum Geburtstag."

3. „Die sind aber witzig! Sind die vom Schulfest?"

5. „Der ist ja süß! Wie heißt er denn?"

4. „Das ist ein ganz neues Modell: Du sprichst und dein Gesprächspartner sieht dich."

6. „Die ist aber gut, hmmm. Kann ich noch ein Stück haben?"

## 5 Flohmarkt in der Schule

 Setz bitte die Demonstrativpronomen ein. Ergänze die leeren Sprechblasen.

1.
Der CD-Player ist nicht schlecht ...

Ja, ............. ist fast neu!

2.
Eine Swatch-Uhr! Tolles Design!

Ja, ............. ist schön! Wie viel kostet .............?

3.
Das Geschichtsbuch ist für die sechste Klasse.

............. kann ich brauchen, ich gehe jetzt in die 6 b.

4.
Total lustig, die Comic-hefte!

Ach, ............. habe ich schon!

5.
Der Taschenrechner hier ist wirklich toll! ............. kann einfach alles!

Na, super! ............. kaufe ich. Dann bin ich bald ein Mathegenie.

6.
............................................
............................................

............................................
............................................

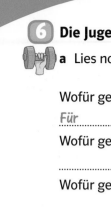

# 8 Einkaufsbummel

**6** **Die Jugendlichen und das Taschengeld** ➡ **KB:** 4

**a** Lies noch einmal den Text im Kursbuch (S. 67) und beantworte die Fragen.

Wofür geben die Jugendlichen 75 % des Taschengelds aus?

*Für* ................................................................................................

Wofür geben sie 25 % des Taschengelds aus?

................................................................................................

Wofür geben die 13- bis 15-jährigen Mädchen 11 % des Taschengelds aus?

................................................................................................

> **Pass auf!**
> **Wofür** geben sie das Geld aus? (Sachen)
> **Für** Klamotten.
> **Für wen** kaufst du das Haargel? (Personen)
> **Für** mich natürlich!
>
> *für* steht immer mit Akkusativ.

**b** Was kaufst du für wen? Notiere Gegenstände. Sprecht wie in den Beispielen.

| Gegenstände | Personen |
|---|---|
| .................................................... | meine Oma |
| .................................................... | meine Freunde |
| .................................................... | mein Bruder |
| .................................................... | Klara |
| .................................................... | ich / du / wir |

● *Für wen kaufst du ...?*
● *Für ...*

● *Was kaufst du für ...?*
● *Für ... kaufe ich ...*

**7** **Ein Gegensatz von bunt ist ...** ➡ **KB:** 6

**a** Finde Gegensätze. Verbinde bitte.

| | |
|---|---|
| 1. bunt | a. weit |
| 2. eng | b. schlecht |
| 3. ätzend | c. schwarz-weiß |
| 4. teuer | d. alt |
| 5. schrecklich | e. blöd |
| 6. jung | f. billig |
| 7. romantisch | g. kompliziert |
| 8. gut | h. toll |
| 9. praktisch | i. realistisch |
| 10. nett | j. cool |

**Personen**

**Sachen**

**b** Welche Adjektive passen zu Personen, welche zu Sachen? Ordne bitte zu. Verbinde Adjektive und Nomen wie in den Beispielen.

*bunte Blusen / coole Typen / ...*

### 8 Bildbeschreibung: Im Modeshop

Beschreib bitte, was du auf den Bildern siehst.

|  |  |  | 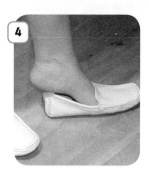 |

1. Christiane probiert eine ....................................., aber sie ist ......................... .

2. ......................................................... ......................................................., aber es ................................. .

3. ................................................ ................................................, aber ..................................... .

4. ......................................................, ......................................................, aber ................................................ .

### 9 Wer / Was gefällt dir?

**a** Sieh dir die Bilder an. Sprich wie im Beispiel.

- Gefällt / Gefallen dir ...?
- Ja, ... mir. / Nein, ... mir nicht.

**b** Schreib auf, wer und was dir gefällt.

Mir gefällt ........................................................................................................................................

Mir gefallen ......................................................................................................................................

**10** **Was passt zusammen?**

Schreib bitte die ganzen Sätze in dein Heft.

auch so toll?

Wie findest du

Physik, meine Eltern und meine Oma.

die Schuhe nicht?

gefällt mir.

Ich mag

Dein Rucksack

Findest du die Gruppe „Silbermond"

Gefallen dir

den Pullover?

**11** **Im Sportgeschäft** ➲ KB: 7

**a** Bring den Dialog in die richtige Reihenfolge. Markiere die Wortpaare, die dir dabei helfen, bunt.

| Maximilian | | Verkäufer |
|---|---|---|
| Gelb ist meine Lieblingsfarbe. | 1 | Hallo, kann ich dir helfen? |
| Der passt echt gut. Den kaufe ich … | | Danke schön, und 4,50 Euro zurück … Viel Spaß beim Volleyball! |
| Der ist cool! Was kostet der? | | Na, für 50 Euro finden wir sicher einen Jogginganzug … Wie findest du den hier? |
| Circa 50 Euro. Die sind das Geburtstagsgeschenk von Oma. | | Gelb, hm … Wir haben ein paar Modelle. Wie viel möchtest du denn ausgeben? |
| Hier, bitte, 50 Euro. | | Ah, du spielst Volleyball? Toll, ich auch … Also einen Jogginganzug, mal sehen. Hast du eine Lieblingsfarbe? |
| Vielen Dank und auf Wiedersehen. | | Und, passt er dir? |
| 2 Guten Tag, ich suche einen Jogginganzug … Ich spiele Volleyball. | | 45,50 Euro. Gefällt er dir? |
| Ja, ich möchte ihn gern probieren. | | Eine sehr gute Wahl, er passt dir wirklich perfekt! (An der Kasse.) Das macht also 45,50 Euro. |

**b** Hör bitte den Dialog. Ist deine Lösung richtig?

**c** Spielt den Dialog.

## 12 Monolog eines Handyverkäufers

Ergänze *und, oder, aber.*

„Du willst ein Handy kaufen? Willst du ein Handy mit Kamera
...................... lieber nicht mit Kamera? Wir haben viele Modelle,
...................... sie sind teuer, so circa 120 Euro.

Aha, das ist dir zu teuer. Dann möchtest du doch lieber nur
telefonieren ...................... SMS verschicken? Kein Problem: Hier ist ein
Handy: Es ist klein ...................... praktisch, ...................... du kannst nur
telefonieren, keine SMS verschicken. ...................... willst du lieber das
Handy hier? Es ist nicht schön, ...................... es ist billig ...................... du
kannst telefonieren ...................... SMS verschicken.

Die Handys gefallen dir nicht? Was willst du denn? Billig ......................
schön ...................... praktisch ...................... telefonieren ...................... SMS
verschicken ...................... fotografieren – alles geht nicht!"

## 13 Verkaufsgespräche: Dialogmuster   ➔ KB: 8

Spielt Verkaufsgespräche. Das Dialoggerüst hilft.

| Verkäufer / Verkäuferin: | Du: |
|---|---|

Hallo, was ...

Ich möchte / suche ...

Wie viel ... ausgeben?

...

Hier ist / sind ...
... kostet ...

... gefällt mir (nicht) / ... zu teuer / ...

Hier ist ... ... billig

O.k. Ich nehme ... Wo ist die Kasse?

Da vorne. / Dort.

...

...

# 8 Einkaufsbummel

**14** **Science-Fiction: Leben im 22. Jahrhundert** ➔ **KB:** 9

Ergänze die passenden Verben.

> besuchen ◦ trinken ◦ verbringen ◦ erzählen ◦ essen ◦ bezahlen ◦ erleben
> ◦ ~~kennen lernen~~ ◦ bekommen ◦ schlafen ◦ lernen ◦ verstehen ◦ vergessen

Moran erzählt: „Ihr möchtet das Leben im 22. Jahrhundert _kennen lernen_ ?

Also: Ich _____ nie! Manchmal bin ich müde, aber dann _____ ich

einen Energy-Drink, danach bin ich wieder topfit! Ich nehme oft meine Mondrakete und

_____ meine Freunde auf dem Mars. Wir _____ uns sehr gut. Wir _____

viele Stunden im Erlebnispark Orbitron. Dort _____ wir fantastische Cyber-Abenteuer.

Im Cyberspace-Lernzentrum _____ wir alles über die Geschichte des Universums. Im

Cyberspace-Restaurant _____ wir Spaceburger, eine leckere Marsspezialität. Aber wir

müssen nichts _____ : Alles ist gratis. Oft _____ ich die Realität, träume nur noch von

World-Wide-Web-Welten. Wie ich die Zukunft sehe? Das _____ ich euch morgen. Vielleicht

_____ ich ein Space-Shuttle zum Geburtstag und mache eine Reise zum Saturn."

**15** **Was passt zusammen?**

Verbinde bitte. Es gibt mehrere Möglichkeiten.

| | | |
|---|---|---|
| die Geschichte | zum Geburtstag | vergessen |
| neue Chat-Freunde | am Sonntag | bekommen |
| Abenteuer | von Romeo und Julia | besuchen |
| die Vokabeln | am Meer | verbringen |
| ein Fahrrad | in Deutschland | erzählen |
| Tante Irmela | immer schnell | kennen lernen |
| ein Wochenende | im Internet | erleben |

**16** **Dreimal Mond**

Welchen Artikel haben zusammengesetzte Wörter aus zwei Nomen? Ergänze den Artikel.

der Mond + **der** Bewohner ◦ **der** Mondbewohner
der Mond + **das** Kino ◦ **das** Mondkino
der Mond + **die** Rakete ◦ **die** Mondrakete

das Land + die Karte ◦ _die Landkarte_

der Kredit + die Karte ◦ _____

der Kaffee + das Haus ◦ _____

die Stunde + n + der Plan ◦ _____

die Klasse + n + das Zimmer ◦ _____

der Geburtstag + s + das Fest ◦ _____

**Pass auf!**
Manchmal gibt es
einen zusätzlichen
Buchstaben, z.B.:
der Stunde**n**plan

## 17 Satzbausteine

Wie viele Kombinationen findest du? Schreib die Sätze in dein Heft.

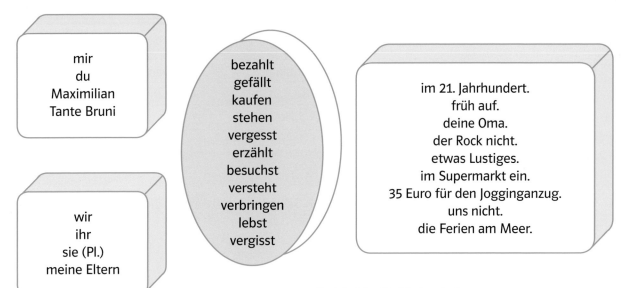

| | | |
|---|---|---|
| mir | bezahlt | im 21. Jahrhundert. |
| du | gefällt | früh auf. |
| Maximilian | kaufen | deine Oma. |
| Tante Bruni | stehen | der Rock nicht. |
| | vergesst | etwas Lustiges. |
| | erzählt | im Supermarkt ein. |
| wir | besuchst | 35 Euro für den Jogginganzug. |
| ihr | versteht | uns nicht. |
| sie (Pl.) | verbringen | die Ferien am Meer. |
| meine Eltern | lebst | |
| | vergisst | |

*Du lebst im 21. Jahrhundert.*

## 18 Manfreds Schule    ➔ KB: 10

Manfred beschreibt seinem E-Mail-Freund Giorgio seine Schule. Ergänze bitte den Plan.

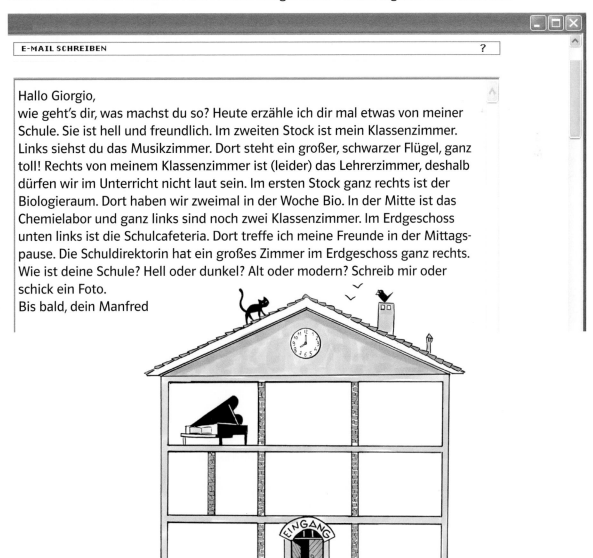

E-MAIL SCHREIBEN                                                                    ?

Hallo Giorgio,
wie geht's dir, was machst du so? Heute erzähle ich dir mal etwas von meiner
Schule. Sie ist hell und freundlich. Im zweiten Stock ist mein Klassenzimmer.
Links siehst du das Musikzimmer. Dort steht ein großer, schwarzer Flügel, ganz
toll! Rechts von meinem Klassenzimmer ist (leider) das Lehrerzimmer, deshalb
dürfen wir im Unterricht nicht laut sein. Im ersten Stock ganz rechts ist der
Biologieraum. Dort haben wir zweimal in der Woche Bio. In der Mitte ist das
Chemielabor und ganz links sind noch zwei Klassenzimmer. Im Erdgeschoss
unten links ist die Schulcafeteria. Dort treffe ich meine Freunde in der Mittags-
pause. Die Schuldirektorin hat ein großes Zimmer im Erdgeschoss ganz rechts.
Wie ist deine Schule? Hell oder dunkel? Alt oder modern? Schreib mir oder
schick ein Foto.
Bis bald, dein Manfred

## Demonstrativpronomen *der / das / die*

Wähl passende Gegenstände und ergänze die Tabelle.

| Guck mal, | Nominativ | | Akkusativ |
|---|---|---|---|
| | der ............................! | Der ist billig! | Den kaufe ich. |
| | das ............................! | Das ist ................! | ............ nehme ich. |
| | die ............................! | ............ ist ............! | ............ esse ich sofort. |
| (Pl.) | die ............................! | ............ sind schön bunt! | ............ möchte ich haben. |

## Nicht trennbare Verben

Such nicht trennbare Verben in den Lektionen 6–8. Schreib dann zu jeweils einem Verb einen Satz.

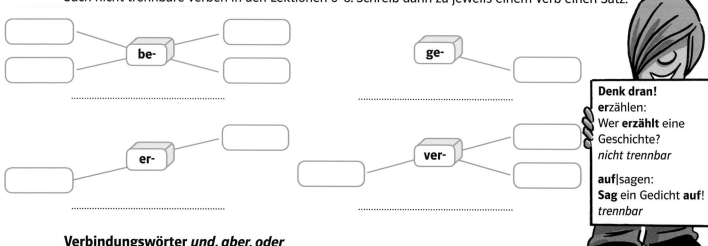

be-

ge-

...............................

...............................

er-

ver-

...............................

...............................

**Denk dran!**
**er**zählen:
Wer **erzählt** eine Geschichte?
*nicht trennbar*

**auf**|sagen:
**Sag** ein Gedicht **auf**!
*trennbar*

## Verbindungswörter *und, aber, oder*

**a** Ergänze die Sätze mit passenden Adjektiven.

| alternativ | Ist das Handy ........................ oder ........................? |
|---|---|
| adversativ | Es ist klein, aber ........................................ |
| gleichgeordnet | Es ist praktisch und ........................................ |

**b** Ergänze bitte die Sätze.

**Pass auf!**
Vor *aber* setzt man immer ein Komma.

| Ich bin ........................ | **und** | (ich) gehe in die Klasse ........................ |
| Ich gehe ins ........................ | **und** | meine Freundin ........................ |
| Ich mag ........................, | **aber** | (ich mag) keine ........................ |
| Ich probiere ........................, | **aber** | er ist ........................ |
| Ich möchte ........................ | **oder** | ........................ |

Wenn das Subjekt oder das Verb wiederholt wird, kann man es weglassen.

# Mein Wortschatz

## Persönlicher Fragebogen

Kreuz die passenden Antworten an oder notiere eine persönliche Antwort.

**1. Wie verbringst du deine Freizeit?**

☐ Allein.     ☐ Mit Freunden.
☐ Mit Shoppen.     ☐ ...............................

**2. Wie oft besuchen dich „Aliens"?**

☐ Oft.     ☐ Manchmal.
☐ Nie.     ☐ ...............................

**3. Was isst du lieber?**

☐ Marseis.     ☐ Mondeis.
☐ Speiseeis.     ☐ ...............................

**4. Was vergisst du oft?**

☐ Meinen Geburtstag.     ☐ Meine Hausaufgaben.
☐ Meine Träume.     ☐ ...............................

**5. Wen möchtest du kennen lernen?**

☐ Leonardo di Caprio.     ☐ Den Mann im Mond.
☐ Mich selbst.     ☐ ...............................

**6. Was möchtest du erleben?**

☐ Das 22. Jahrhundert.     ☐ Star Wars.
☐ Eine Mondreise.     ☐ ...............................

## Einkaufsbummel

Mit wem kaufst du was? In den Lektionen 2, 4, 7 und 8 findest du viele Gegenstände. Ordne sie der passenden Tasche zu.

Das kaufe ich allein:

mit meinen Eltern:

mit Freunden:

## Zusammengesetzte Wörter im Einkaufszentrum

Im Einkaufszentrum gibt es viele Geschäfte. Wie heißen sie? Schreib bitte auch den Artikel dazu.

*die*   Kleider *boutique* .......................

............. Blumen .......................

............. Mode .......................

............. Handy .......................

............. Sport .......................

............. Buch .......................

> das Geschäft ●
> der Shop ● die Handlung ●
> das Haus ● das Center ●
> der Laden ● die Boutique

## Wörter suchen

Such in der Wörterliste von Lektion 1–8 Wörter mit der Pluralform ⸚e.

*die Angst, die Ängste* .......................

# Meilenstein 4

Dresden ●
Nürnberg ●

Die Reise geht weiter und du kannst wieder Meilensteine sammeln. Die Reise führt dich nun von Dresden nach Nürnberg. Zeichne deinen Weg auf der Landkarte auf Seite 4 ein.

### 1  Ich kann die Jahreszeiten benennen.

Schreib die Namen der Jahreszeiten (mit Artikel) zu den Monaten.

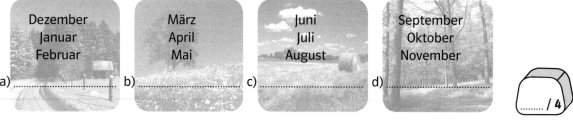

Dezember
Januar
Februar

März
April
Mai

Juni
Juli
August

September
Oktober
November

a) .................................    b) .................................    c) .................................    d) .................................

......... / 4

### 2  Ich kann einfache Anweisungen geben.

Du hilfst bei der Organisation des Schulfestes. Sag den anderen, was sie machen sollen.

Was können wir machen?
Getränke kaufen?
CDs mitbringen?
Ein Buffet organisieren?

Was kann ich machen?
Einen Kuchen backen?
Eine Geschichte vorlesen?

Okay.
Kauft Getränke!
a) .................................
b) .................................
Gute Idee.
c) .................................
d) .................................

......... / 4

### 3  Ich kann eine Einladung schreiben.

Am Ende des Schuljahres macht ihr ein Klassenfest. Schreib eine Einladung für die Deutschlehrerin / den Deutschlehrer. Verwende die Bausteine.

Liebe … / Lieber …

… Freitagnachmittag … Klassenfest

… beginnt … 15 …      wir … einladen

1. Theateraufführung (zuerst)      2. Flötenkonzert

3. Pause, Getränke, Kuchen      4. Tombola

hoffentlich … Zeit

**Einladung**

..................................................
..................................................
..................................................
..................................................
..................................................
..................................................
..................................................

......... / 10

### 4  Ich kann auf eine Einladung reagieren.

Ein Freund lädt dich ein. Was antwortest du? Schreib je zwei Sätze.

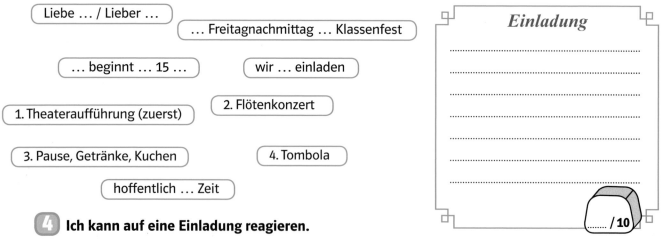

Am Samstagnachmittag mache ich eine Geburtstagsparty. Ich möchte dich einladen. Kommst du?

| Du nimmst die Einladung an. ☺ | Du kannst nicht kommen. ☹ |
| --- | --- |
| .................................. | .................................. |
| .................................. | .................................. |

......... / 4

**5** Ich kann Artikel, Demonstrativ- und Personalpronomen richtig gebrauchen.

Ergänze die Endungen und die Pronomen.

1. Habt ihr ein.................... Deutschlehrer? ○ Nein, wir haben ein....................

   Deutschlehrerin. .................... ist sehr nett.

2. Das ist mein Bruder. Kennst du ....................?

3. Möchtest du .................... Eis? Ich lade .................... ein.

4. Seid ihr am Samstag zu Hause? Wir möchten .................... gern besuchen.

5. Frau Reinders, kann ich .................... etwas fragen?

6. Mark gefallen die Jeans. .................... kauft .....................

7. Der Taschenrechner ist wirklich praktisch. .................... will ich haben.

   Wie viel kostet ....................?

......... / 6

**6** Ich kann einfache statistische Angaben verstehen.

○ 2 17

Hör den Ausschnitt aus einer Radiosendung. Schreib die Prozentzahlen auf.

Wie viele Jugendliche essen in der Pause ...

belegte Brote?     Äpfel, Bananen ...?     Süßes?

.....................................    .....................................    .....................................

......... / 3

**7** Ich kann in einem Einkaufsgespräch reagieren.

Kreuz bitte die passende Antwort an.

**1. Wie viel möchtest du denn ausgeben?**

☐ a) Ich möchte einen DVD-Player.
☐ b) So um die 40 Euro.
☐ c) Ich möchte nichts ausgeben.

**2. Gefällt dir die Hose?**

☐ a) Nein, die passt dir nicht.
☐ b) Ja, ich möchte einkaufen.
☐ c) Ja, aber sie passt mir nicht.

**3. Kann ich dir helfen?**

☐ a) Ich suche ein Buch für meinen Vater.
☐ b) Ich habe 50 Euro.
☐ c) Ich möchte lieber nichts.

**4. Was möchtest du denn?**

☐ a) Das Handy ist modern.
☐ b) Haben Sie Handys mit Kamera?
☐ c) Das nehme ich.

......... / 4

**8** Ich kenne das Gegenteil von ...

Wie heißt das Gegenteil?

eng ○○ ....................    billig ○○ ....................    unten ○○ ....................

gut ○○ ....................    links ○○ ....................

......... / 5

**Wie viele Meilen hast du gesammelt?**
**Bis 20 Meilen:** Du bist müde und verschwitzt von der Klettertour im Elbsandsteingebirge. Mach erst mal eine kleine Pause und mach dich frisch! Wiederhol dann die Übungen von Lektion 7 und 8. Dann klappt es sicher besser.
**21–30 Meilen:** Gut gemacht! Du darfst bis nach Nürnberg weiterfahren.
**31–40 Meilen:** Super! Zur Belohnung darfst du heute Abend das Open-Air-Festival „Rock im Park" besuchen. – Dann geht es weiter nach München.

......... / 40

# 9 Mein Zuhause

## 1 Wo bin ich? → KB: 1

**a** Mach die Augen zu und hör die Situationen. Wo kann man diese Geräusche hören?

Situation 1: ...................................................

Situation 2: ...................................................

Situation 3: ...................................................

Situation 4: ...................................................

**b** Hör die Situationen noch einmal und notiere je drei Wörter.

**c** Vergleiche mit deinem Partner / deiner Partnerin. Erzählt mit euren Wörtern eine kleine Geschichte zu einer Situation.

## 2 Silvios Zuhause

**a** Hör Silvios Erzählung noch einmal. Was passt zu seinem Zuhause? Markiere die Wörter farbig.

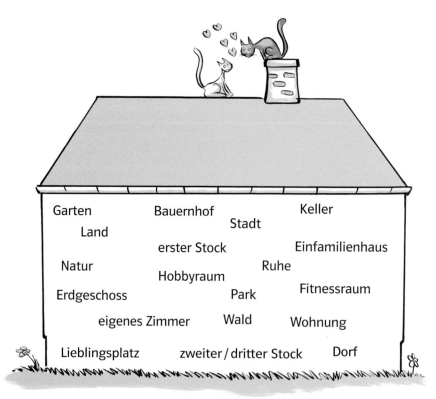

Garten   Bauernhof   Keller
Land   Stadt
erster Stock   Einfamilienhaus
Natur   Ruhe
Hobbyraum
Erdgeschoss   Park   Fitnessraum
eigenes Zimmer   Wald   Wohnung
Lieblingsplatz   zweiter / dritter Stock   Dorf

**b** Was passt zu deinem Zuhause? Markiere die Wörter in einer anderen Farbe.

**3** **Silbenrätsel: Wo wohnst du?** ➡ KB: 3

Finde die Lösungswörter.

| barn ◦ bau ◦ ern ◦ gar ◦ haus ◦ haus ◦ hen ◦ |
| hoch ◦ hof ◦ mer ◦ nach ◦ nung ◦ rand ◦ rei ◦ |
| stadt ◦ stadt ◦ ten ◦ trum ◦ woh ◦ zen ◦ zim |

1. Ich mag Tiere und lebe gern auf einem ......................................................... .

2. Ich wohne im 10. Stock in einem ......................................................... .

3. Ich teile mein ......................................................... mit meinem Bruder.

4. Die Kirche steht im ......................................................... .

5. Wohnst du in einem Haus? ◦ Ja, in einem ......................................................... am

......................................................... .

6. Kennst du schon viele Leute hier? ◦ Nein, aber die ......................................................... sind sehr nett.

7. Wir haben eine ......................................................... im Erdgeschoss.

8. Das Haus hat einen großen ......................................................... .

**4** **Wörter zusammensetzen**

Wie heißen die Zimmer?

1. Die ganze Familie trifft sich im ......................................................... . (wohnen)

2. Die Familie isst im ......................................................... . (essen)

3. Die Eltern schlafen im ......................................................... . (schlafen)

4. Die Kinder haben ein ......................................................... . (Kinder)

**5** **Wo ist das?** ➡ KB: 4

Was ist richtig? Kreuz bitte an.

|  |  | auf | in | im | an | am | bei | mit |  |
|---|---|---|---|---|---|---|---|---|---|
| 1. | Pia-Marie wohnt | ✕ |  |  |  |  |  |  | einem Bauernhof. |
| 2. | Die Schule liegt |  |  |  |  |  |  |  | Stadtrand. |
| 3. | Die Wohnung ist |  |  |  |  |  |  |  | einem Hochhaus. |
| 4. | Ich teile das Zimmer |  |  |  |  |  |  |  | meinem Bruder. |
| 5. | Das Haus liegt |  |  |  |  |  |  |  | einem Fluss. |
| 6. | Lebst du gern |  |  |  |  |  |  |  | dem Land? |
| 7. | Elisabeths Zimmer ist |  |  |  |  |  |  |  | ersten Stock. |
| 8. | Es gibt kein Restaurant |  |  |  |  |  |  |  | Dorf. |
| 9. | Tante Marta wohnt |  |  |  |  |  |  |  | Pisa. |
| 10. | Heute Nacht schlafe ich |  |  |  |  |  |  |  | meinen Großeltern. |

**Denk dran!**
**an** + **dem** = **am**
Ich wohne **am** Stadtrand.
**in** + **dem** = **im**
Du wohnst **im** Stadtzentrum.

# 9 Mein Zuhause

## 6 Wo seid ihr?

Ergänze die SMS-Antworten mit dem unbestimmten Artikel.

*Ich bin ...*

Hi, wo seid ihr denn alle?

bei ............. Freund.

in ............. Café.

an ............. See.

bei ............. Freundin.

auf ............. Schulfest.

auf ............. Party.

an ............. Computer-platz im Internet-café.

in ............. Disko.

in ............. Musikge-schäft.

## 7 In einem Park – In dem Park

 Ergänze die Artikelendungen im Dativ.

**Sei schlau!**
Dativ maskulin und neutral sind gleich:
in ein**em**/d**em** Park (der Park)
in ein**em**/d**em** Café (das Café)

| Was? | Nominativ | | | |
|---|---|---|---|---|
| | Singular | | | Plural |
| | ein Park<br>der Park | ein Café<br>das Café | eine Disko<br>die Disko | Kaffeehäuser<br>die Kaffeehäuser |

| Wo? | Dativ | | | |
|---|---|---|---|---|
| | Singular | | | Plural |
| **in** | ein............. Park | ein............. Café | ein............. Disko | Kaffeehäuser**n** |
| **in** | d............. Park<br>i**m**............. Park | d............. Café<br>............. Café | d............. Disko | d............. Kaffeehäuser**n** |

## 8 Dominospiel: unbestimmter oder bestimmter Artikel?

 Finde den Weg durch die Dominosteine und ergänze den passenden Artikel.

**Pass auf!**
Neue Information:
Elena hat **eine** Katze.

Bekanntes wird genannt:
**Die** Katze heißt Mimi.

| A | | | | | | | A |
|---|---|---|---|---|---|---|---|

**A          START**

| Nein, ............... See ist leider weit weg. | Meine Familie wohnt in _einer_ Wohnung. |
|---|---|

**B**

| Das stimmt. In ............... Großstadt ist immer viel los! | Ich habe ............... eigenes Zimmer. |
|---|---|

**C**

| Auf ............... Bauernhof gibt es viele Tiere. | Ist das Haus dort vorne ............... Schule? |
|---|---|

**ENDE**

**D**

| ............... Zimmer ist nicht groß, aber ich finde es schön. | Hast du ............... Rucksack mit? |
|---|---|

**E**

| Aber _die_ Wohnung ist viel zu klein für uns. | Habt ihr ............... Garten? |
|---|---|

**F**

| Ja, ............... Cafeteria ist im ersten Stock. | Liegt das Haus an ............... See? |
|---|---|

**G**

| Ja. Es ist ............... Schule von Hanna. | Ich finde das Leben in ............... Großstadt spannend. |
|---|---|

**H**

| Ja klar, aber ............... Rucksack ist noch im Auto. | Habt ihr ............... Cafeteria in der Schule? |
|---|---|

**I**

| Ja, aber ............... Garten ist nicht sehr groß. | Jakobs Großeltern haben ............... Bauernhof. |
|---|---|

## 9 Was passt?

 Welches Wort gehört in die Lücke? Ergänze bitte.

1. In den ........................... leben viele Menschen.

   a) Stadt   b) Städten   c) Städte

2. Die ........................... im Zentrum sind teuer.

   a) Wohnungen   b) Wohnung   c) Wohnen

3. Wir verbringen den Abend bei ...........................

   a) Freunde   b) Freund   c) Freunden

4. Auf den ........................... sieht man Blumen.

   a) Bilder   b) Bildern   c) Bild

5. Im Zentrum gibt es tolle ...........................

   a) Geschäfte   b) Geschäft   c) Geschäften

6. In den ........................... schwimmen Fische.

   a) Fluss   b) Flüssen   c) Flüsse

7. Im Garten stehen viele alte...........................

   a) Bäumen   b) Baum   c) Bäume

8. Wir bleiben bei den ...........................

   a) Kindern   b) Kind   c) Kinder

der Fisch

der Baum

**Denk dran!**
Die **Bücher** sind alt. (Nominativ)
In den **Büchern** sind viele Bilder. (Dativ)

(Dativ Plural: Nomen im Plural + **-n**)

**10** **Eine Umfrage für die Schülerzeitung**

 Interviewt euch gegenseitig. Das Dialoggerüst hilft euch.

**Du:**

*Hallo, ich mache eine Umfrage für die Schülerzeitung. Hast du Zeit?*

(wohnen?)

(Haus / Wohnung?)

(eigenes Zimmer?)

(schön finden?)

(nicht so gut finden?)

*Danke!*

**Dein Partner / Deine Partnerin:**

*Ja klar! / Okay! …*

*… im / am / auf …*

*…*

*Ja / Nein …*

*…*

*…*

*Bitte, gern!*

**11** **Im Tandem: Was machst du im Sommer?**

**a** Tamara schreibt an ihre Freundin Natalie in Luzern. Kannst du ihr helfen und die Lücken füllen? (Eine Lücke bleibt leer: kein Artikel.)

---

E-MAIL SCHREIBEN      ?

to: nati_widmer@swissonline.ch

Hallo Natalie,
du fragst, was ich __im__ Sommer mache? _____ Sommer bin ich oft _____
meinen Großeltern. Die haben _____ Haus _____ einem großen Garten direkt
_____ Meer, das ist echt megacool! _____ Haus ist schon sehr alt. _____ Tag
kann ich _____ Meer schwimmen und _____ Abend essen wir draußen _____
Garten. Manchmal mache ich auch _____ Einkaufsbummel _____ Dorf. _____
Eisstand treffe ich die Jugendlichen _____ dem Dorf, wir essen _____ Eis,
quatschen und hören _____ Musik. Und was machst du _____ Sommer?
Schreib mir bald!
Deine Freundin Tamara

---

**b** Schreib auch eine E-Mail mit Lücken für Artikel und Präpositionen und tausch sie mit deinem Partner / deiner Partnerin aus. Kontrolliert die Lösungen.

**12** **Ein Päckchen für Natalie** ➡ KB: 5

**a** Tamara möchte Natalie ein Päckchen mit Souvenirs aus den Sommerferien schicken.
Schreib Natalies Adresse auf das Päckchen.

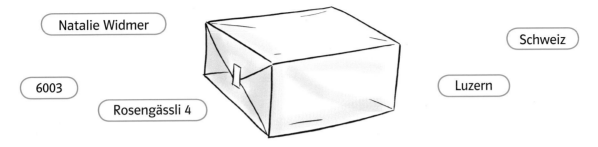

Natalie Widmer

Schweiz

6003

Luzern

Rosengässli 4

**b** Natalie möchte ein Jahr auf deine Schule gehen. Füll bitte das Anmeldeformular für sie aus.

| Vorname | Nachname | |
|---|---|---|
| | | |

**Straße und Hausnummer**

**Postleitzahl**    **Ort**    **Land**

**Telefonnummer**    **E-Mail-Adresse**

0041 / 43 / 548321

**13** **Wörterrätsel: Was ist in Rafaels Zimmer?** ➡ KB: 6

Schreib die Wörter an die richtige Stelle. Notiere das Lösungswort.

R

U

I          A

E      N

Lösung: Rafael wohnt in
einem ........................................

# 9 Mein Zuhause

## 14 sitzen – liegen – stehen

Ergänze das passende Verb.

Das Buch ............................. auf dem Tisch.

Die Bücher ............................. im Regal.

Der Laptop ............................. auf dem Schreibtisch.

Die Katze ............................. auf dem Sofa.

Der Hund ............................. unter dem Stuhl.

Die Tassen ............................. auf dem Tisch.

Der Fußball ............................. im Schrank.

Das Haus ............................. am See.

## 15 Satzbausteine

 **a** Kombiniere die Bausteine. Du kannst dein Zimmer oder dein Traumzimmer beschreiben. Schreib auf ein Blatt Papier.

Wie sieht dein (Traum)Zimmer aus?

| In meinem (Traum) Zimmer … | hängen stehen liegen sitzen<br><br>gibt es (k)ein… | das Aquarium<br>meine Katze<br>die Pinnwand<br>CDs (Pl.)<br>der Teppich<br>die Lampe<br>das Bett<br>das Kissen<br>Schulsachen (Pl.) | Poster von … (Pl.)<br>der Wecker<br>Bücher (Pl.)<br>der Computer<br>Pflanzen (Pl.)<br>das Radio<br>Fotos von… (Pl.)<br>Klamotten (Pl.)<br>die Playstation<br>… | an<br>auf<br>hinter<br>in<br>neben<br>über<br>unter<br>vor<br>zwischen | das Fenster<br>das Regal<br>das Bett<br>die Tür (und …)<br>das Fenster<br>die Wand<br>der Tisch<br>der Schrank<br>die Ecke<br>… |

**b** Sammelt alle Blätter ein. Jeder zieht ein Blatt und zeichnet das Zimmer.

**16** Sprechtraining: **Satzakzent**

**a** Hör bitte zu und markiere das betonte Wort.

*Wo steht der Computer in deinem Zimmer?*

1. Wo stehen die Pflanzen in deinem Zimmer?
2. Stehen die Pflanzen am Fenster?
3. Wo liegen die Kissen in deinem Zimmer?
4. Liegen die Kissen auf dem Bett?
5. Wo hängt die Pinnwand in deinem Zimmer?
6. Hängt die Pinnwand über dem Schreibtisch?
7. Wo liegt der Teppich in deinem Zimmer?
8. Liegt der Teppich vor dem Schrank?

**b** Hör noch einmal. In welchen Sätzen steigt, in welchen Sätzen fällt die Melodie? Markiere mit ↗ oder ↘ .

**c** Hör noch einmal und sprich nach.

**17** **Versteckspiel in der Klasse**

Zwei Schüler gehen aus der Klasse. Versteckt einen kleinen Gegenstand (z.B. einen Radiergummi / einen Kuli / einen Schokoriegel …). Holt eure Klassenkameraden wieder herein. Sie fragen, ihr antwortet. Wer das Versteck findet, hat gewonnen.

Ist der Kaugummi im Papierkorb?

Nein!

**18** **Zu wem passt das?** ➲ **KB:** 10

**a** Welche Sachen passen zu welcher Person? Verbinde bitte.

Edina malt gern und ist sehr musikalisch.

die Videospiele
der Malkasten
die Sporttasche
das Bett
das Handy
die Flasche
die Farbstifte
der Schnuller
das Skateboard
der Computer
die Fahrräder
das Schlagzeug

Adam mag moderne Medien.

Das Baby trinkt Milch und schläft viel.

die Flasche

Tom und Samuel sind sehr sportlich.

der Schnuller

# 9 Mein Zuhause

**b** Ergänze die Sätze. Achte auf *sein* und *ihr*.

Das ist Edina und ihr Malkasten, ihre Farbstifte und ...................................................................................

Das ist Adam und sein ...............................................................................................................................

Das ist das Baby und .................................................................................................................................

Das sind Tom und Samuel und ...................................................................................................................

**19** **Was brauchen sie?**

Ergänze bitte mit den passenden Possessivartikeln.

**Possessivartikel im Akkusativ**

| Adam braucht ... | Das Baby braucht ... | Edina braucht ... | Tom und Samuel brauchen ... |
|---|---|---|---|
| *seinen Computer* | .................... | .................... | .................... |
| .................... | .................... | .................... | .................... |
| .................... | .................... | .................... | .................... |

> **Denk dran!**
> Der Possessivartikel hat dieselben Endungen wie der unbestimmte Artikel. Adam braucht ein**en** / sein**en** Computer.

**20** **Wen besuchen sie?**

Markiere die grammatischen Bezüge wie im Beispiel.

1. Erika besucht ihren Onkel.

2. Rafik besucht seine Tante.

3. Ich besuche meinen Opa.

4. Wann besuchst du deine Großeltern?

**21** **Was passt?** ➔ **KB:** 12

Schreib den passenden Possessivartikel in die Lücke.

1. Kevin und *seine* Familie wohnen in Köln.
a) seine  b) ihre  c) sein

2. Herr Frey, ist das .............. Haus?
a) ihr  b) sein  c) Ihr

3. Kennst du Jana und .............. Schwester?
a) seinen  b) ihre  c) Ihr

4. Das Kind kann .............. Fahrrad nicht finden.
a) seinen  b) Ihren  c) sein

5. Livia wohnt bei .............. Eltern.
a) ihren  b) Ihren  c) seinen

6. Was ist .............. Hobby, Frau Fischer?
a) ihre  b) Ihr  c) Ihren

7. Erik und .............. Freunde sind sehr abenteuerlustig.
a) sein  b) ihre  c) seine

8. Die Schüler finden .............. Lehrerin sehr nett.
a) seinen  b) ihre  c) Ihre

**22** **Ein Interview**

Macht ein Interview mit eurem Lehrer / eurer Lehrerin. Die Fragen helfen euch. Notiert die Antworten auf einer Antwortkarte. Überlegt: Wen könnt ihr noch auf Deutsch interviewen?

Wie heißt Ihr Mann / … Frau?

Wie alt sind … Kinder? Wie heißen …?

Wie heißt … (Hund / Katze)?

Wo ist … Wohnung? Wie viele Zimmer …?

Wie / Wo verbringen Sie … Freizeit?

Wo leben … Eltern / Großeltern / Geschwister?

Was ist … Lieblingsplatz / Lieblingsessen /

Lieblingsmusik? / Lieblingsfarbe /

Lieblingsmaler / -sänger …

Was sind … Wünsche?

| ANTWORTKARTE | |
|---|---|
| Name: ................... | Lieblingsplatz: ................... |
| Mann / Frau: ................... | Lieblingsessen: ................... |
| Kinder: ................... | Lieblingsmusik: ................... |
| Freizeit: ................... | Lieblingsfarbe: ................... |
|    Wie? ................... |    : ................... |
|    Wo? ................... |    : ................... |
| Wohnung: ................... | Wünsche: ................... |
| Eltern: ................... | |
| Großeltern: ................... | Hund: ................... |
| Geschwister: ................... | Katze: ................... |

**23** **Alles logisch?**

Lies die Sätze 1–11 und schreib die Informationen in die Tabelle. Beantworte zuletzt die Frage.

| Name | | | | |
|---|---|---|---|---|
| Alter | | | | |
| Hobby | | | | |
| Lieblingsplatz | | | | |
| Wohnort (Lage) | | | | |
| Haus / Wohnung | | | | |

1. Muriel hat heute Geburtstag. Sie ist jetzt 15 Jahre alt.

2. Benno wohnt in einem Hochhaus im Zentrum.

3. Jasmin und ihre Familie wohnen auf dem Land.

4. Sein Elternhaus steht an einem Fluss: Er wohnt auf einem Bauernhof.

5. Sie wohnt in einer Wohnung am Stadtrand und ihr Hobby ist Sport.

6. Xavier ist 16 Jahre alt. Sein Hobby ist Moped fahren.

7. Ihr Lieblingsplatz ist das Internetcafé neben der Schule. Hier chattet sie stundenlang mit ihren Freunden oder surft im Internet.

8. Seine Freizeit verbringt er immer im Jugendzentrum und spielt Billard.

9. Ihr Lieblingsplatz ist das Fitnesscenter.

10. Er ist dreizehn.

11. Er trifft seine Freunde immer auf dem Dorfplatz.

**Frage: Wer ist vierzehn Jahre alt und wohnt in einem Einfamilienhaus?**

**Bestimmter und unbestimmter Artikel**

Ergänze die Beispiele.

*Wir machen eine Übung.*

*Die Übung ist total einfach.*

| Unbestimmter Artikel | Bestimmter Artikel |
|---|---|

Wohnt ihr in einer ............................? ⊙ Ja, ............................ Wohnung ist im 5. Stock.

............................ Zimmer ? ⊙ Ja, das ............ ist nicht groß, aber ich mag es.

Ist da ein ............................? ⊙ Ja, der ............................ steht ............................ .

**Lokale Präpositionen:** *in, an, auf, über, unter, hinter, neben, zwischen, vor*

**a** Schreib die Präpositionen an die passende Stelle ins Bild. Beschreib dann das Bild.

**b** Ergänze bitte die Tabelle.

**Präpositionen mit Dativ: Wo?**

| Artikel | maskulin | neutral | feminin | Plural |
|---|---|---|---|---|
| unbestimmt | in ein**em** Baum | vor ein**em** ............ | in ............ ............ | auf Bilder**n** |
| bestimmt | ............ ............ Baum | neben ............ Haus | in der ............ | auf ............ ............ |

**Possessivartikel**

Ergänze bitte.

Das gehört zusammen!

Ich und meine ............................!

Du und ............................!

Kasimir und ............................!

Beata und ............................!

Meine Eltern und ............................!

**Pass auf!**
*bei, mit* + Dativ
Ich bin bei einer Freundin.
Ich bin bei Olivia. (Name)
Max spielt mit einem Freund.
Max spielt mit Moritz. (Name)

Frau Janshoff und ............................ Arbeit im Jugendzentrum!

*Frau Janshoff, was bedeutet ............................ für Sie?*

# Mein Wortschatz

**Bild aus Wörtern**

Richte dein Traumzimmer ein. Möbliere das Zimmer mit Wörtern.

Tisch Tisch Tisch Tisch Tisch
Tisch      Tisch
Tisch      Tisch
Tisch      Tisch

**Was machst du in deinem Zimmer?**

Markiere die Aktivitäten.

schlafenlesenshoppengehentagebuchschreibenfahrradfahrenaufdembettliegen
hiphophörengedichteschreibenfernsehenchattenflötespielenträumenjoggenfotografieren
iminternetsurfenschwimmentelefonierenalleinseincomicslesenzuabendessen
colatrinkenfensterputzenvokabelnlernenfilmesehentanzenvideosguckenmalen
aufräumenhausaufgabenmachenfußballspielenmitfreundenquatschenbackenbasteln
klamottenanziehenstrickenausgehensmsverschickenemailschreiben

**Ein Gedicht von Heinz Janisch**

Kombiniere die Zeilen.

Denn hinter jeder Wand

ist noch ein Land.

Sie schaut in die Ferne.

Was macht die Maus
besonders gerne?

**Wörter suchen**

**a** Such in der Wörterliste im Kursbuch die Pluralformen.

das Haus, die ............................     die Wand, die ............................     der Fernseher, die ............................

der Wald, die ............................     die Stadt, die ............................     der Keller, die ............................

das Dorf, die ............................     der Fluss, die ............................     das Zimmer, die ............................

**b** Zu welcher Pluralgruppe gehören diese Wörter?

die Hand   o   der Wecker   o   das Wort   o   der Schüler   o   das Fahrrad   o
der Teller   o   das Schaufenster   o   der Ausflug   o   das Poster   o   der Hut

# 10 Auf Klassenfahrt!

## 1 Ein idealer Ferienort  ➡ KB: 1

Schreib die Wörter richtig. Schlag den Artikel in der Wortliste im Kursbuch nach.

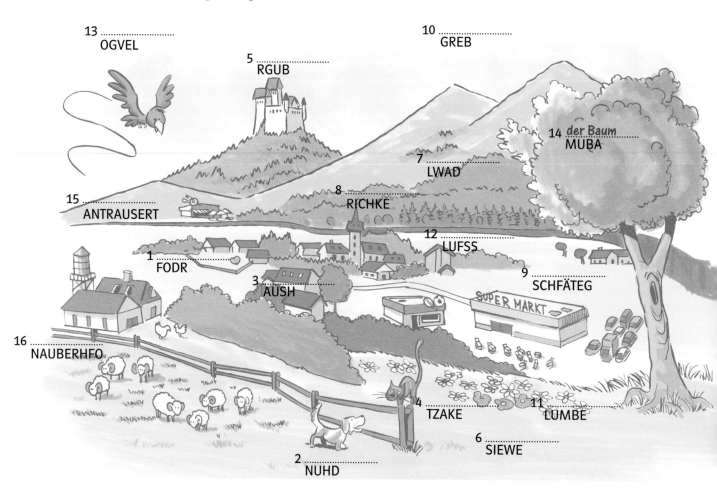

13 ....................... OGVEL

10 ....................... GREB

5 ....................... RGUB

14 der Baum MUBA

7 ....................... LWAD

8 ....................... RICHKE

15 ....................... ANTRAUSERT

12 ....................... LUFSS

1 ....................... FODR

9 ....................... SCHFÄTEG

3 ....................... AUSH

16 ....................... NAUBERHFO

4 ....................... TZAKE

11 ....................... LUMBE

6 ....................... SIEWE

2 ....................... NUHD

## 2 Noch mehr Postkarten von der Klassenfahrt

**a** Wähl die passenden Wörter aus und schreib sie in die Lücken.

| | |
|---|---|
| **1** in der Schule / in den Bergen / im Berg | Liebe Mama, lieber Papa!<br><br>Hier ....................... (1) ist .......................<br>(2). Wir haben sehr viel ....................... (3)<br>zusammen. Wir wohnen ....................... (4). |
| **2** es sehr schön / immer Sommer / jetzt Pause | Das Essen ist ....................... (5) und wir<br>wandern jeden Tag ....................... (6).<br>Hier gibt es auch ....................... (7) und wir<br>möchten ....................... (8). |
| **3** Arbeit / Unterricht / Spaß | Liebe Grüße und ....................... (9)!<br>Euer ....................... (10) |

An
Familie Riechert
Porzellangasse 5
1090 Wien

| | | 6 |
| --- | --- | --- |
| auf einem Bauernhof<br>in einem Geschäft<br>in der Kirche  **4** | sehr interessant<br>heute müde<br>echt lecker  **5** | ins Kino<br>auf einen Berg<br>in die Schule |

Claudio
Claudia
Mädchen  **10**

einen Fluss
eine Blume
kein Geld  **7**

nicht schwimmen lernen
einen Raftingkurs machen
die Wiesen sehen  **8**

guten Morgen
gute Reise
bis bald  **9**

**b** Ein Schüler hat eine Postkarte gemalt. Schreib sie in Worten in dein Heft.

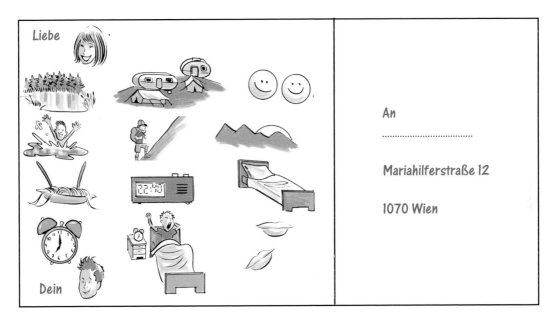

Liebe

An
.................................

Mariahilferstraße 12

1070 Wien

Dein

**3** **Wo seid ihr? – Wohin geht ihr?** ➜ **KB:** 2

 Was passt zusammen? Verbinde bitte.

**Wo**
seid ihr?
schlaft ihr?
wohnt ihr?

⊙

**Position**

ins Gasthaus
in Köln
nach Österreich
ans Meer
im Stadtpark
in die Berge
in die Stadt
in einem Jugendhotel
nach Stuttgart
auf einem Bauernhof
am Bodensee
in der Stadt

**Wohin**
geht ihr?
fahrt ihr?
kommt ihr?

➡

**Richtung**

**Pass auf!**
Wo? – **In** Köln.
Wohin? – **Nach** Köln.
Wo? – In ein**er** / **der**
Stadt. (Dativ)
Wohin? – In ein**e** / **die**
Stadt . (Akkusativ)

# 10 Auf Klassenfahrt!

**4** **Klassenfahrt: Wohin? Wann? Wo?**

**a** Kreuz bitte die passende Präposition an.

|  | nach | in | im | auf | an |  |
|---|---|---|---|---|---|---|
| 1. Die Klasse möchte | ✗ |  |  |  |  | Österreich fahren. |
| 2. Die Schüler fahren |  |  |  |  |  | einen Nationalpark. |
| 3. Der liegt |  |  |  |  |  | einem Fluss. |
| 4. Dort ist es |  |  |  |  |  | Sommer besonders schön. |
| 5. Die Schüler wohnen |  |  |  |  |  | einem Jugendhotel. |
| 6. Mittags essen sie |  |  |  |  |  | einem Gasthaus. |
| 7. Am Mittwoch wandern sie |  |  |  |  |  | einen Berg. |
| 8. Zum Schluss gibt es ein Fest |  |  |  |  |  | der Burg. |
| 9. Und dann fahren sie wieder |  |  |  |  |  | Hause. |

**b** Wo oder wohin? Kreuz bitte an und gib passende Antworten. Übung 4 a hilft.

|  | Wo | Wohin |  |  | Antwort |
|---|---|---|---|---|---|
| 1. |  |  | fährt die Klasse? | ◗ | *Nach ...* |
| 2. |  |  | liegt der Nationalpark? | ◗ |  |
| 3. |  |  | wohnen sie? | ◗ |  |
| 4. |  |  | essen sie? | ◗ |  |
| 5. |  |  | gehen sie am Mittwoch? | ◗ |  |
| 6. |  |  | ist das Abschlussfest? | ◗ |  |

**5** **Familienunrlaub: Wer? Was? Wann? Wo? Wohin?**

**a** Jeder will etwas anderes. Schreib die Wünsche mit der richtigen Präposition in die Tabelle.

Herr Witt (48)
- ◗ fährt gern Schi
- ◗ die Schweiz
- ◗ Winter
- ◗ Berghotel

Annika (18)
- ◗ wandert gern
- ◗ Österreich oder Bayern
- ◗ Frühling
- ◗ Bauernhof

Sascha (13)
- ◗ interessiert sich für Rafting
- ◗ Fluss
- ◗ August
- ◗ Campingplatz

Frau Witt (43)
- ◗ schwimmt gern
- ◗ liebt das Meer
- ◗ Sommer
- ◗ Familienhotel

Oliver (16)
- ◗ Technikfreak
- ◗ München (das „Deutsche Museum")
- ◗ September
- ◗ Tante Ulrike

| Wer? | Wann? | Wohin fahren? | Wo wohnen? | Was machen? |
|---|---|---|---|---|
| Herr Witt |  | *in die Schweiz* |  |  |
| Annika |  |  |  |  |
| Sascha |  |  |  |  |
| Frau Witt |  |  |  |  |
| Oliver | *im September* |  |  |  |

 **b** Schreibt fünf Rollenkarten. Jeder übernimmt eine Rolle. Spielt Familienkonferenz.

> *Wohin möchtest du fahren?*

> *Was willst du machen?*

> *Ich möchte ...*

> *Ich möchte lieber im ... nach ... fahren und ...*

**c** Schreibspiel: Bildet Teams von fünf Schülern. Jedes Team macht eine Tabelle wie im Beispiel. Schüler A schreibt einen Namen in die erste Spalte und klappt sie nach hinten, so dass man nicht sieht, was er geschrieben hat. Schüler B schreibt in die zweite Spalte usw. Lest dann das Ergebnis in der Klasse vor.

... *fährt im / am ... in / an / nach ... Er / Sie wohnt in / an / auf / bei ... und ...*

| Wer? | Wann? | Wohin fahren? | Wo wohnen? | Was machen? |

---

**6** **In der Natur – In der Stadt**  ➡ **KB:** 4

**a** Markiere bitte die Wortgrenzen.

wandernklettermachen einkau fensehensammeln schwi m men besu chengehenau sgeb enbau enfah re neleben sitzen

**b** Ordne die Verben von **a** zu.

**In der Natur kann man ...**

auf Felsen ........................................

im Wald ........................................

im Fluss ........................................

eine Brücke ........................................

Steine ........................................

Rad ........................................

eine Raftingtour ........................................

Höhlen ........................................

Wanderungen ........................................

viele Abenteuer ........................................

**Deine Strategie:** Lern Verben in Kombinationen.

**In der Stadt kann man ...**

einen Einkaufsbummel ........................................

ins Kino ........................................

ein Museum ........................................

Inliner ........................................

einen Sprachkurs ........................................

in Geschäften ........................................

viele Menschen ........................................

im Café ........................................

viel Geld ........................................

viele Abenteuer ........................................

# 10 Auf Klassenfahrt!

## 7 Was passt nicht?

Ein Wort passt nicht in die Reihe. Streich es durch.

1. Tiere ○ Pflanzen ○ Bäume ○ Steine
2. Meer ○ Milch ○ Fluss ○ See
3. Berge ○ Felsen ○ Höhlen ○ Häuser
4. Burg ○ Kirche ○ Berg ○ Brücke

## 8 Stimmengewirr bei der Ankunft → KB: 6

**a** Welche Dialogteile gehören zusammen?
Ergänze die Minidialoge mit den Possessivartikeln *unser, euer*.

**Pass auf!**
euer Schlüssel (m.)
euer Zimmer (n.)
eure Zimmernummer (f.)
eure Rucksäcke (Pl.)

Wo ist _unser_ Zimmer? **1**

Aber _____ Zimmer hat nur ein Regal. **2**

Aber _____ Zimmernummer ist 10! **3**

_____ Betten sind sehr bequem. **4**

_____ Rucksäcke? Die stehen noch unten am Eingang. **5**

**Deine Strategie:** Such zuerst, was inhaltlich zusammenpasst.

_____ Zimmer ist im ersten Stock. **6**

_____ Betten auch. **7**

Hier ist _____ Zimmerschlüssel, Zimmer Nr. 11! **8**

Hängt erst _____ Klamotten in den Schrank und kommt dann zum Essen. **9**

Wir suchen _____ Rucksäcke. **10**

**b** Spielt die Minidialoge in der Klasse.

### 9 Franzi schreibt im Internetcafé an ihre Freundin Lara

Ergänze die fehlenden Possessivartikel.

> unser ○ unsere ○ unsere ○ unsere ○ mein ○
> dein ○ deine ○ euer ○ eure ○ deine

| E-MAIL SCHREIBEN | ? |

Liebe Lara,

_unsere_ Klassenfahrt ist wirklich toll. Wir sind hier in einem Nationalpark in

Österreich. .................. Unterkunft ist auch cool – ein Bauernhof: Der ist alt und

sehr schön. Ein kleines Problem gibt es: .................. Zimmer ist direkt neben

dem Zimmer von Frau Weber. Also keine Partys in der Nacht! :-(  Wir sind sehr

sportlich, jeden Tag nehmen wir .................. Rucksäcke und wandern stundenlang.

Ich bin abends immer total müde. Wann macht ihr .................. Klassenfahrt? Du

schreibst, .................. Lehrer möchte in eine Stadt fahren. Das ist bestimmt auch

sehr schön!

Danke für .................. E-Mail, .................. Foto ist echt süß! Ich schicke dir in der

nächsten E-Mail auch .................. Foto mit.

Bis bald, .................. Franzi

### 10 Reihenübung: Wo warst du? Hattest du Spaß? → KB: 8

Sprecht in der Klasse. Variiert die Aussagen.

S1 ○ S2: *Wo warst du gestern / am Sonntag / ...?*

S2 ○ S1: *Ich war im Restaurant / klettern / ...*

S1 ○ S2: *Hattest du Spaß?*

S2 ○ S1: *Ja / Nein, ich hatte / viel / keinen / Spaß.*

S2 ○ S3: *Wo ...?*

### 11 Märchen: Es war einmal ...

Ergänze mit *sein* oder *haben* im Präteritum.

Es .................. einmal ein Mädchen, das ..................

ganz allein auf der Welt. Es .................. keine

Geschwister, es .................. auch keinen Vater und

keine Mutter. Aber es .................. sehr neugierig und

abenteuerlustig. Einmal .................. es ganz allein

im Wald. Dort .................. alles ganz still. Aber

das Mädchen .................. keine Angst. – Plötzlich

.................. da ein lustiges Monster zwischen den

Bäumen: „Komm mit in den Skaterpark!" ...

(Wie geht die Geschichte weiter?)

# 10 Auf Klassenfahrt!

## 12 Nach der Reise  ➡ KB: 10

Beschrifte die Fotos im Fotoalbum. Verwende die Ausdrücke im Schüttelkasten.

> auf einem Bauernhof wohnen  ◦  auf einen Felsen klettern  ◦
> abends ein Lagerfeuer machen  ◦  ins Wasser fallen (Nina)

**1**  **2**   **3**   **4**

Wir haben ........................  ........................  ........................  ........................

........................  ........................  ........................  ........................

## 13 Was gehört zusammen?

Verbinde die Verbformen.

gefahren   fährt   gegangen

liest   gehen   isst   schlafen   schreibt

gelesen   schläft   geschrieben   sehen   geschlafen   sieht

gesehen   gegessen   fahren   lesen

essen   schreiben   geht

## 14 Was habt ihr gemacht? – Wir sind gewandert.

Welche Verben haben im Perfekt *haben*? Welche Verben haben im Perfekt *sein*? Ordne bitte zu.

> machen  ◦  fahren  ◦  lesen  ◦  essen  ◦  kommen  ◦  gehen  ◦  klettern  ◦
> schlafen  ◦  wandern  ◦  malen  ◦  schreiben  ◦  reisen  ◦  wohnen  ◦
> sammeln  ◦  sehen  ◦  spielen  ◦  fallen  ◦  kaufen

| Man bleibt am selben Ort. ⊙ | Man verlässt den Ort / bewegt sich. ⇨ |
|---|---|
| machen, | wandern, |
| ................................ | ................................ |
| ................................ | ................................ |
| Perfekt mit **haben** | Perfekt mit **sein** |

## 15 Lydia schreibt viele SMS

Ergänze *haben* oder *sein*.

**1**
Wir haben
einen Ausflug
gemacht;
abends ..............
ich dann müde
ins Bett
gefallen.

**2**
Im Dorf ..............
wir Souvenirs
gekauft, und
ich .............. ein
Eis gegessen.

**3**
Leider ..............
ich heute
Nacht sehr
schlecht
geschlafen.

**4**
Ich .............. dir
viele E-Mails
geschrieben.
.............. du sie
nicht gelesen?

**5**
.............. ihr
auch so viel
gewandert?
.............. ihr auch
schöne Steine
gesammelt?

**6**
Gestern ..............
wir an einen
See gefahren
und ..............
viel Spaß.

**Deine Strategie:**
Lern immer so:

machen – **habe** gemacht
wandern – **bin** gewandert

## 16 Julian ist von der Klassenfahrt zurück

Jetzt ist Lisa mit ihrer Klasse auf Klassenfahrt. Was sagt Julian? Ergänze bitte.

| Lisa | | Julian |
|---|---|---|
| Hallo, Julian, … | ◎ | Hi, Lisa, wie geht's? Wie ist die Klassenfahrt? |
| 1. Unsere Klassenfahrt ist toll! Wir wohnen in einem Jugendhotel. | ◎ | Wir haben .............. auf einem Bauernhof .............. |
| 2. Wir fahren morgen in die Stadt. | ◎ | Wir .............. in den Geopark .............. |
| 3. Ich sammle viele Postkarten. | ◎ | Ich .............. schöne Steine .............. |
| 4. Abends machen wir Spiele. | ◎ | Wir .............. immer Lagerfeuer .............. |
| 5. Ich esse viel Pizza. | ◎ | Ich .............. viele Grillwürstchen .............. |
| 6. Wir schreiben einen Artikel für die Schülerzeitung. | ◎ | Wir .............. ein Reisetagebuch .............. |
| Na, dann kann ich ja alles lesen. Tschüss, Julian ! | ◎ | Tschüss, Lisa! Viel Spaß noch! |

**Denk dran!**
regelmäßig:
**ge**mach**t**, **ge**wohn**t**

unregelmäßig:
**ge**fahr**en**, **ge**schr**ieben**
(Manchmal ändert sich
der Vokal.)

## 17 Sprechtraining: E-Laute  ➤ KB: 13

🎵 2 32

Hör zu und sprich bitte nach. Ergänze dann die Tabelle.

Das Essen war echt lecker. ◎ Er hat sehr nette Eltern. ◎
Ich esse gern Äpfel und Erdbeeren. ◎ Eva geht jetzt in die
Mensa. ◎ Die Wände sind gelb. ◎ Der Helm gefällt mir gar
nicht. ◎ Hier sind viele Berge und Täler.

| Schreibung von E-Lauten | e | | | |
|---|---|---|---|---|
| Beispielwörter | lecker | sehr | Beeren | Äpfel |

# 10 Meine Grammatik

## Präteritum von *sein* und *haben*

Ergänze bitte die Tabelle.

**Denk dran!**
Präteritum:
1. und 3. Person
sind gleich.

| ich | war | ❗ | | | hat | .......❗ | |
|---|---|---|---|---|---|---|---|
| du | war | st | ............................. und | | ............ | **test** | .......................... |
| er / es / sie | ............ | ❗ | | | ............ | ❗ | |

## Perfekt: regelmäßige Verben – unregelmäßige Verben (1)

**a** Ordne bitte zu. Schreib auch den Infinitiv dazu.

gegessen ○ gefallen ○ gebaut ○ geschlafen ○ gekauft ○ gemacht ○
gesehen ○ gespielt ○ gefahren ○ gewandert ○ gelacht ○ geschrieben ○ gegangen

| Infinitiv | sein / haben | ge...............t | Infinitiv | sein / haben | ge...............en |
|---|---|---|---|---|---|
| bauen | hat | gebaut | essen | hat | gegessen |
| | | | | | |
| | | | | | |
| | | | | | |
| | | | | | |
| | | | | | |
| | | | | | |
| **regelmäßige Verben** | | | **unregelmäßige Verben** | | |

**b** Ergänze die Beispiele und finde selbst noch je einen Satz.

| | | Perfekt: Teil 1 haben / sein | | Perfekt: Teil 2 Partizip |
|---|---|---|---|---|
| **Aussagesatz** | Die Klasse | ist | nach Österreich | gefahren. |
| | Wir | .......................... | auf einem Bauernhof | .......................... |
| | | | | |
| **W-Frage** | Wann | habt | ihr die Raftingtour | gemacht? |
| | Wer | .......................... | ins Wasser | .......................... |
| | | | | |
| **Ja / Nein-Frage** | | Haben | die Schüler Grillwürstchen | gegessen? |
| | | .......................... | die Schüler spät ins Bett | .......................... |
| | | | | |

**Satzklammer**

## Diamanten-Gedicht

Lies das Gedicht *Berg / Meer*. Ergänze das Gedicht *Schule / Klassenfahrt*.

**Berg**
hoch, anstrengend
wandern, klettern, Blumen finden
Felsen, Höhle, Wasser, Muscheln sammeln
schwimmen, surfen, Steine sammeln,
nass, ruhig
Meer

**Schule**
früh, .........................
lernen, ....................., .....................
Lehrer, ....................., Natur, ....................., 
spielen, ....................., ....................., 
....................., romantisch
**Klassenfahrt**

## Blick aus dem Fenster

Schau aus dem Fenster! Was siehst du? Was siehst du nicht?

Ich sehe ......................................................................................................................

Ich sehe kein(e) ...........................................................................................................

## Deine Ferienreise im letzten Sommer

Füll bitte das Formular aus: Ergänze und kreuz an.

**Reiseziel** ............................................... / ............................................... (Land)

**Termine**

Ankunft: .............................  Dauer: .............................

**Unterkunft**
☐ Gasthaus  ☐ Hotel  ☐ Campingplatz  ☐ Bauernhof  ☐ ..................

**Zimmer**
☐ Einzelzimmer  ☐ Doppelzimmer  ☐ ..................

**Verpflegung**
☐ Vollpension  ☐ Halbpension  ☐ nur Frühstück  ☐ keine

**Programm**
☐ Kultur  ☐ Natur  ☐ Sport  ☐ ..................

## Wörter suchen

Such in der Wörterliste im Kursbuch Wörter mit der Pluralform *-en*.

*die Burg, die Burgen* ...................................................................................................

# Meilenstein 5

Die Reise geht weiter und du kannst wieder Meilensteine sammeln. Die Reise führt dich nun von Nürnberg nach München. Zeichne deinen Weg auf der Landkarte auf Seite 4 ein.

Nürnberg

München

**1** **Ich kann über meine Wohnsituation Auskunft geben.**

Das Radioteam deiner Schule macht eine Umfrage. Antworte frei.

1. Hi Moni, kannst du uns mal erzählen, wo du wohnst?

2. ............................................
..........................................
..........................................

Reihenhaus
Wohnung
Stadtzentrum
Stadtrand
... Stock
Land

3. Und wie gefällt es dir da?

4. ............................................
..........................................

......... / 4

**2** **Ich kann einfache Texte verstehen.**

Welche Überschrift passt zu welcher Anzeige? Schreib die Nummern in die Kästchen.

☐ **Mehr Spaß zu zweit!**    ☐ **Der Super-Treff!**    ☐ **Schluss mit dem Stress!**

**1** Wo triffst du dich mit deiner Clique? Im ECHO könnt ihr ungestört quatschen, Billard spielen, Videos gucken oder unsere zahlreichen kreativen Angebote nutzen.

**2** Hast du Probleme mit den Hausarbeiten? Im Lerncenter *logo* findest du ein nettes Team, das dir bei allen Fragen hilft und dich beim Lernen unterstützt.

**3** Hallo, wer möchte mit mir in der Halfpipe skaten? Bin 13 Jahre alt, wohne beim Stadtpark und liebe das Skaten – aber nicht allein! Meine Handynummer:

......... / 3

**3** **Ich kann eine einfache Postkarte auf Deutsch schreiben.**

**a** Schreib zuerst die Adresse.

An
............................................
............................................
............................................
............................................

Adresse:

12

Gießen

Kirchgasse

37081

Mara Sauter

Deutschland

......... / 3

**b** Schreib dann über diese Punkte (vergiss Anrede, Datum und Gruß nicht).

**Ferienort:** Berge / ...     **Was machst du da?** schwimmen / ...
**Unterkunft:** Campingplatz / ...     **Wie ist es?** toll / ...

......... / 7

**4** **Ich kann (m)ein Zimmer beschreiben.**

Ergänze die Zimmerbeschreibung. Verwende jede Präposition einmal.

Mein Zimmer ist hell und freundlich. Der Schreibtisch steht direkt ........................ Fenster.

........................ ........................ Wand ........................ ........................ Fenster steht ein Regal.

........................ Regal sind meine Ordner und meine CDs. ........................ ........................ Regal

hängen Bilder. ........................ ........................ Schreibtisch steht natürlich mein Computer,

aber du kannst ihn hier nicht sehen.

.......... / 6

**5** **Ich kann sagen, wo ich bin / war und wohin ich fahren möchte.**

Was ist richtig? Kreuz bitte an.

1. In den Ferien fahren wir ☐ in Deutschland. ☐ nach Deutschland.
2. Warst du auch schon ☐ in Berlin? ☐ im Berlin?
3. Ich bin gerade ☐ in die Stadt. ☐ in der Stadt.
4. Im Juli möchte ich ☐ ans Meer ☐ am Meer fahren.
5. Ich bin gern ☐ in der Natur. ☐ in die Natur.

.......... / 5

**6** **Ich kann sagen, was ich gemacht habe.**

Ergänze das Perfekt.

Wie war dein Nachmittag? ○ Zuerst ........................ ich die Hausaufgaben ........................

(machen), dann ........................ ich in die Stadt ........................ (fahren). In einem

Schaufenster ........................ ich tolle Jeans ........................ (sehen), aber ich ........................

sie nicht ........................ (kaufen) – zu teuer!

Ich ........................ dann zu Tina ........................ (gehen) und wir ........................ Billard

........................ (spielen).

.......... / 12

**Wie viele Meilen hast du gesammelt?**
**Bis 20 Meilen:** Du bist spät vom Open-Air-Festival in Nürnberg nach Hause
gekommen und bist noch müde. Schlaf dich erst mal aus! Wiederhol dann die
Übungen von Lektion 9 und 10.
**21–30 Meilen:** Gut gemacht! Du darfst bis nach München weiterfahren.
**31–40 Meilen:** Super! Du bekommst einen Gutschein für einen Besuch im
„Deutschen Museum" in München. Dort kannst du die Entwicklung von
Wissenschaft und Technik bestaunen und viele Experimente ausprobieren.

.......... / 40

# 11 Fit oder faul?

## 1 Definitionen → KB: 1

Was passt zusammen? Verbinde bitte.

| | |
|---|---|
| 1. Der Faulpelz | a) sitzt auf dem Sofa und sieht viel fern. |
| 2. Die Sportskanone | b) macht gar nicht gern Sport. |
| 3. Der Couchpotatoe | c) hat starke Muskeln. |
| 4. Der Sportmuffel | d) arbeitet nicht gern. |
| 5. Das Muskelpaket | e) ist sehr gut in Sport. |

## 2 Wörter suchen im Wörterbuch

Bildet Teams und nehmt ein einsprachiges Wörterbuch. Jedes Team löst eine Suchaufgabe. Für jede Aufgabe habt ihr fünf Minuten Zeit. Vergleicht dann die Ergebnisse. Ihr könnt auch weitere Aufgaben erfinden.

Wählt irgendeinen Buchstaben.
1. Sucht drei Adjektive (z.B. *gut*).
2. Sucht ein Verb mit der Endung -ieren (z.B. *telefonieren*).
3. Sucht drei Nomen mit Artikel und Pluralendung (z.B. *das Fenster,–*).
4. Sucht zwei zusammengesetzte Wörter (z.B. *Sportskanone*).
5. ...

> **gut** <besser, am besten> *Adj.* **1.** *von zufrieden stellender (etwas über dem Durchschnitt liegender) Qualität, ohne nachteilige Eigenschaften, Mängel* Das war ein guter Film/Witz., Er hat gute Ohren/ Augen/ein gutes Gedächtnis. **2.** *seine Aufgaben gewissenhaft erfüllend* Sie ist eine gute Schülerin/ Studentin/Ärztin. **3.** *wirksam, nützlich* Das raue Nordseeklima ist gut für die Bronchien. **4.** *günstig, passend, geeignet* Uns bot sich eine gute Gelegenheit. **5.** *sich erfreulich auswirkend, angenehm* Das ist eine gute Nachricht!, Wir hatten während des gesamten Urlaubs gutes Wetter.

## 3 Wie geht's? → KB: 2

Ordne bitte die Ausdrücke.

> Und ... wie geht's dir heute?

| | |
|---|---|
| ~~Danke gut.~~ ○ Nicht so gut. ○ Ich fühle mich sehr schlecht. ○ Ich bin müde. ○ | |
| Es geht, danke. ○ Ich bin so traurig. ○ Sehr gut, danke. ○ | |
| Echt super. Und dir? ○ Ich fühle mich voll schlapp. ○ Ich bin ein wenig nervös. | |

| ☺ ☺ | ☺ | ☺/☹ | ☹ | ☹ ☹ |
|---|---|---|---|---|
| | Danke gut. | | | |

## 4 Wörterrätsel

Ein Computervirus hat die Vokale gefressen. Schreib die Wörter richtig.

gt ○ ...*gut*...

md ○ ...........................

wtnd ○ ...........................

nrvs ○ ...........................

glcklch ○ ...........................

trrg ○ ...........................

schlpp ○ ...........................

schlcht ○ ...........................

## 5 Wie fühlst du dich? ➔ KB: 3

**a** Was passt zusammen? Verbinde bitte.

> dich jetzt?

> Er bewegt

> sich nicht immer gesund.

> euch gut in München?

> Fühlt ihr

> Jugendliche ernähren

> Wie fühlst du

> mich gar nicht gut.

> sich zu wenig.

> uns um 8 Uhr vor dem Kino.

> Heute fühle ich

> Wir treffen

 **b** Ergänze bitte.

1. Heute fühle ..........................    mich    gar nicht gut.
2. Wie fühlst du    ..............    jetzt?
3. .......................... bewegt    sich    zu wenig.
4. Wir treffen    ..............    um 8 Uhr vor dem Kino.
5. Fühlt ..........................    euch    gut in München?
6. Jugendliche ernähren    ..............    nicht immer gesund.

**Dein Trick!**
Die meisten Formen kennst du schon. Du musst nur die „sich-Formen" lernen.

**Er / Es / Sie** fühlt **sich** wohl.
**Sie** ernähren **sich** gesund.

## 6 Interview

 **a** Such dir einen Interviewpartner / eine Interviewpartnerin in der Klasse. Fragt euch gegenseitig. Notiert die Antworten.

Du möchtest zum Beispiel wissen …

… wie er / sie sich heute fühlt.

… wo er / sie sich mit Freunden trifft.

… wie oft er / sie sich sportlich bewegt.

… wie er / sie sich ernährt (gesund / ungesund).

**b** Stell deinen Interviewpartner / deine Interviewpartnerin vor.

# 11 Fit oder faul?

**7** **Tut mir leid, ich sitze gerade ...** ➡ **KB:** 5

Was passt zusammen? Verbinde bitte.

> Hi, Andreas, wir sind alle im TOP. Wo bist du? Kommst du?

> Tut mir leid, ich sitze gerade ...

| | |
|---|---|
| beim | Badewanne |
| in der | Computer |
| vor dem | Toilette |
| am | Essen |
| auf der | Auto |
| im | Straßenbahn |
| in der | Fernseher |

**8** **Theater spielen** ➡ **KB:** 5/6

Wählt einen von den drei Minidialogen und erfindet zu zweit eine Situation dazu (wer sagt das wann und wo?). Spielt dann die kurze Szene vor, aber ihr dürft die Minidialoge nicht verändern oder ergänzen. Die anderen erraten die Situation, den Ort und die Personen.

**1.**
- Wie lange brauchst du noch?
- Noch fünf Minuten und dann bin ich fertig.

**2.**
- Wie lange dauert es noch?
- Vielleicht eine Stunde.

**3.**
- Und wie oft?
- Dreimal täglich.

**9** **Wie lange? Wie oft?**

**a** Ordne die Ausdrücke zu.

> einen Tag ⊘ jede Woche ⊘ eine halbe Stunde ⊘ nie ⊘ vier Jahre ⊘ wöchentlich ⊘ zehn Minuten ⊘ ein Jahr ⊘ jeden Tag ⊘ einmal in der Woche ⊘ eine Woche ⊘ oft

| **Wie lange?** | **Wie oft?** |
|---|---|
| einen Tag | |
| | |
| | |
| | |
| | |
| | |

**b** Wie oft / Wie lange macht dein Partner das? Notiere, was du glaubst.
Frag dann deinen Partner / deine Partnerin und notiere seine / ihre Antworten. Du kannst auch noch andere Dinge fragen.

|  | Ich glaube ... | Richtige Antwort: |
|---|---|---|

Wie oft und wie lange duscht er / sie sich?

Wie oft singt er / sie unter der Dusche?

Wie oft putzt er / sie die Schuhe?

Wie oft räumt er / sie die Schultasche auf?

Wie lange sieht er / sie jeden Tag fern?

Wie oft geht er / sie in die Disko?

Wie oft macht er / sie Sport?

Wie lange surft er / sie täglich im Internet?

Wie oft schläft er / sie in der Schule ein?

**10** **Sie hat alles, was sie braucht** ➲ KB: 7

Ergänze die passenden Körperteile.

Sie hat

einen .................... fürs Denken,   (fürs = für das)

.................... fürs Sehen,

einen .................... fürs Essen, Sprechen und Singen,

.................... fürs Hören,

.................... fürs Spielen,

.................... fürs Laufen,

und .................... fürs Tanzen.

Und .................... mit Muskeln und

ein ....................-Piercing hat sie auch.

**11** **Singen finde ich echt blöd!**

Was findest du super? Was findest du blöd?

> Schwimmen ○ Tanzen ○ Singen ○ Inlineskaten ○
> Reiten ○ Aufräumen ○ Zeichnen ○ Backen ○ Basteln ○
> Schlafen ○ Turnen ○ ...

Ich finde Reiten .................... !

.................... ist mein Hobby.

.................... finde ich echt blöd!

**Pass auf!**
Aus Verben können Nomen werden. Dann schreibt man sie groß.

denken – das **D**enken
tanzen – das **T**anzen

.................... ....................

.................... ....................

.................... ....................

**12** **Ich kann ... – Ich kann nicht ...** ➔ **KB:** 8

**a** Was kannst du wie gut? Kreuz bitte an. Ergänze.

| Ich kann ... | sehr gut | gut | ein wenig | gar nicht |
|---|---|---|---|---|
| Rad fahren | | | | |
| schwimmen | | | | |
| Schach spielen | | | | |
| Karten spielen | | | | |
| inlineskaten | | | | |
| Schi fahren | | | | |
| Basketball spielen | | | | |
| Tischtennis spielen | | | | |
| ... | | | | |

**b** Tausch dein Arbeitsbuch mit deinem Nachbarn / deiner Nachbarin und berichte über ihn / sie.

● Hanna kann sehr gut ..., aber sie kann gar nicht ...

**c** Sprecht zu zweit wie im Beispiel.

● Spielen wir heute Nachmittag Tischtennis?

● Nein, heute kann ich nicht
(Tischtennis spielen),
ich muss ...

● Ja, toll, um wie viel Uhr?

**Denk dran!**
Ich kann ... = ich habe die Fähigkeit
Ich kann ... = es ist möglich
Hannah **kann** sehr gut **schwimmen**,
aber **heute kann sie nicht**
(schwimmen gehen), sie muss lernen.

**13** **Deine Meinung zum Sport** ➔ **KB:** 9/11

Was ist deine Meinung? Schreib die Sätze bitte weiter.

Ich finde, dass Sport ........................................................................................

Ich finde ganz und gar nicht, dass Sport .................................................

Ich finde auch, dass Sport .........................................................................

Nebensätze mit *dass* antworten auf
die Frage: *Was*?
Das Verb steht am Ende des Nebensatzes.

● **Was** findest du?
● Ich finde, **dass** Deutsch Spaß **macht**.

**14** **Ich finde / glaube / denke, dass ...** ➔ **KB:** 11

**a** Mit welchen Aussagen bist du einverstanden? Kreuz an.

☐ Deutsch macht Spaß.
☐ Schifahren ist out.
☐ Snowboarden ist toll, aber gefährlich.
☐ Hausaufgaben sind total wichtig.
☐ In der Schule lernen wir oft unwichtige Sachen.

☐ Sprachen lernen wir für den Beruf.
☐ In der Schule lernen wir für die Zukunft.
☐ Jugendliche machen zu wenig Sport.
☐ Bei uns sind die Kinder nicht zu dick.
☐ Sprachen sind für den Alltag wichtig.

**b** Sprecht zu zweit wie im Beispiel.

● Ich finde, dass wir Sprachen für den Beruf lernen.

● Das finde ich auch.  ● Das finde ich nicht. Ich finde, dass wir Sprachen für den Alltag lernen.

## 15 Er schreibt, dass ...

 Lies die E-Mail. Was sagt Inga? Ergänze die Tabelle.

Was schreibt er?

Eine E-Mail von Moritz!

E-MAIL SCHREIBEN  ?

Hi Inga, hi Marco,

danke für die Einladung zu eurer Party. Leider habe ich am Samstagabend keine Zeit. Ich habe am Sonntagmorgen ein Fußballspiel, da muss ich fit sein. Wir sehen uns dann am Montag in der Schule.

Bis bald, Moritz

**Er schreibt,**

|  | Subjekt |  | Verb |
|---|---|---|---|
| dass........... | ................ | leider keine Zeit | ................ |
| ................ | ................ | ................ | ................ |
| ................ | ................ | uns | ................ |

**Nebensatzklammer**

## 16 Buchstabensalat auf dem Frühstückstisch  ➜ KB: 12

Wie heißt das auf Deutsch? Schreib die Wörter richtig mit dem Artikel.

1 das Brot.........
TROB

2 ................
TEBTUR

3 ................
LIMCH

4 ................
ETE

5 ................
EKSÄ

6 ................
STURW

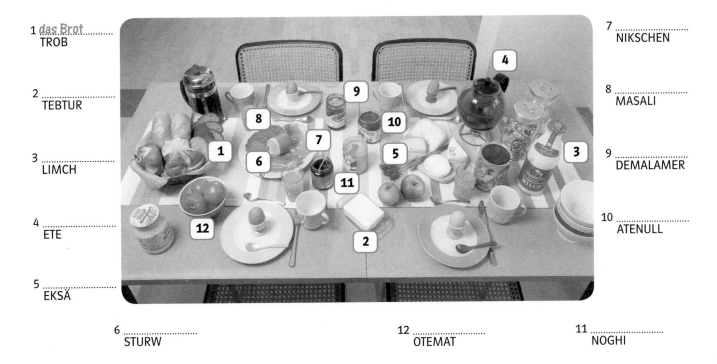

7 ................
NIKSCHEN

8 ................
MASALI

9 ................
DEMALAMER

10 ................
ATENULL

11 ................
NOGHI

12 ................
OTEMAT

# 11 Fit oder faul?

## 17 Was passt nicht?

Streich das Wort, das nicht passt, durch.

1. das Brot ○ die Butter ○ die Marmelade ○ der Kakao
2. der Käse ○ die Milch ○ die Tomate ○ der Jogurt
3. das Brötchen ○ die Banane ○ der Apfel ○ die Zitrone
4. die Wurst ○ das Ei ○ der Schinken ○ die Salami

## 18 Wörter zusammensetzen

Was essen und trinken sie? Ergänze bitte.

**Pass auf!**
Manchmal hat das zusammengesetzte Wort noch ein -*n*, z.B.: Orange**n**saft, Tomate**n**saft, …

| | |
|---|---|
| Sylvie isst zum Frühstück ein | _Marmeladen_ .............. _Orangen_ .............. |
| Marius isst um 10 Uhr ein | ........................... ........................... |
| Jana isst in der Pause ein | ........................... -brot und trinkt einen ........................... -saft. |
| László isst am Nachmittag ein | ........................... ........................... |
| Dorothea isst um 17 Uhr ein | ........................... ........................... |

## 19 Was ist gesund? Was soll man / soll man nicht …?  ➡ KB: 14

Wählt aus. Sprecht in der Klasse wie in den Beispielen.

*Man soll nicht immer ans Essen denken. Man soll lieber mehr trinken.*

immer ans Essen denken ○ Cola trinken ○ viel schlafen ○ Pommes essen
○ viel lachen ○ hektisch frühstücken ○ warm zu Abend essen
○ wenig Wasser trinken ○ mit vollem Mund sprechen ○ Sport treiben ○ rauchen
○ Eis im Winter essen ○ Computerspiele spielen

## 20 Dein Frühstückspartner

Wer frühstückt wie du? Such einen Frühstückspartner in der Klasse. Beschreibt dann gemeinsam euer Frühstück.

*Um wie viel Uhr frühstückst du?*

*Wie lange …?*

*Was …?*

**21** **Was sollen sie tun? Was sollst du tun?** ➔ KB: 14/15

**a** Gib gute Ratschläge. Wähl aus.

> früh ins Bett gehen ◦ ins Jugendzentrum gehen ◦ Sport machen ◦
> sich viel bewegen ◦ viel … essen ◦ die Deutsche Welle hören ◦ keine … essen
> ◦ jeden Morgen joggen ◦ Babysitting machen ◦ Austauschpartner suchen

1. Peter ist immer müde. ...... *Er soll* ....................................................................
2. Ilse fühlt sich schlapp. ..............................................................................
3. Ramona hat Übergewicht. ..........................................................................
4. Tina und Lola wollen neue Freunde kennen lernen. ....................................
5. Helge will sein Deutsch verbessern. ............................................................
6. Mona bekommt zu wenig Taschengeld. ......................................................

**b** Und was sollst du tun? Berichte bitte. Ergänze ein Beispiel.

**Deine Eltern sagen:**

1. Iss einen Apfel zum Frühstück! ◦ ......*Ich soll zum Frühstück einen Apfel essen.*......
2. Ernähr dich gesund! ◦ ................................................................................
3. Lern deine Deutschvokabeln! ◦ .................................................................
4. Dusch dich nicht so lange! ◦ ......................................................................
5. Telefonier nicht so viel! ◦ ..........................................................................
6. ............................................................! ◦ ..........................................

**22** Sprechtraining: **Wortakzent**

**a** Hör bitte zu und markiere den betonten Vokal.

1. die Ban<u>a</u>ne ◦ der Kakao ◦ die Marmelade ◦ das Nutella ◦ die Orange ◦ die Salami ◦ der Salat
   ◦ die Spagetti ◦ die Tomate
2. der Jogurt – der Bananenjogurt ◦ der Salat – der Tomatensalat ◦ das Brötchen – das Marmeladenbrötchen ◦ die Pizza – die Salamipizza

**b** Lies die Wörter laut.

**c** Lies die folgenden Sätze laut.

Zum Frühstück isst Nora ein Marmeladenbrötchen und einen Bananenjogurt.
Zu Mittag isst sie dann Spagetti mit Tomatensalat und abends eine Salamipizza.
Dazu trinkt sie ein Glas Orangensaft.

### Sich-Verben

**a** Ergänze die Sprechblasen.

Wie fühlst du dich?

Ich fühle ............................. super!

Und wie fühlen Sie sich, Frau Bartók?

Ich ............................. ............................. etwas schlapp.

**b** Mach dir deine Tabelle.

| Ich | fühle | mich | sehr gut. |
| Du | ............... | ............... | nicht so gut. |
| Er / Es / Sie | ............... | ............... | schlapp. |
| Wir | ............... | ............... | fit! |
| Ihr | ............... | ............... | schlecht. |
| Sie | ............... | ............... | müde. |
| Sie | ............... | ............... | topfit.   (formelle Anrede) |

**Denk dran!**
3. Person Singular, Plural und höfliche Form: *sich*

### Nebensätze mit *dass*

Was ist deine Meinung? Lies die Schlagzeilen und schreib drei Sätze in die Tabelle.

Ich finde, dass ...        Ich finde auch, dass ...

Ich finde nicht, dass ...        Ich denke, dass ...

**Pass auf!**
Im *dass*-Satz steht das Verb mit der Personen-Endung am Satzende.

DIE JUGENDLICHEN BEKOMMEN ZU VIEL TASCHENGELD!

Die Jugendlichen verbringen zu viel Zeit vor dem Fernseher.

**Die Jugendlichen von heute sind sehr hilfsbereit.**

Die Jugendlichen denken nur an ihre Hobbys.

Die Jugendlichen ernähren sich falsch!

| Hauptsatz | Nebensatz | | | | |
|---|---|---|---|---|---|
| | Konnektor | Subjekt | | | Verb |
| Ich............, | ............... | die Jugendlichen | ............... | | ............... |
| ..............., | ............... | ............... | ............... | | ............... |
| ..............., | ............... | ............... | ............... | | ............... |

**Nebensatzklammer**

# Mein Wortschatz

## Gedicht aus Modalverben

Schreib ein Gedicht.

> Ich will …
> aber ich kann nicht …
> Ich soll …
> aber ich mag …
> Ich möchte …
> aber ich darf nicht …
> … sagt, ich soll …
> aber ich …

## Wörterrätsel: Was ist das?

Welche Definition passt?

1. ein Glas Saft = .b......
2. ein Saftglas = ........

3. eine Tasse Tee = ........
4. eine Teetasse = ........

5. ein Teller Spagetti = ........
6. ein Spagettiteller = ........

a) ein Glas für Saft
b) ein Glas mit Saft

a) eine Tasse mit Tee
b) eine Tasse für Tee

a) ein Teller für Spagetti
b) ein Teller mit Spagetti

## Wörter „zum Essen"

Erfinde zusammengesetzte Wörter. Erklär dann deinem Partner / deiner Partnerin, was das ist.

..Wurstsalat...............

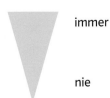

Honigbrot

..Käsekuchen...............

.................................

.................................

.................................

.................................

.................................

## Was machst du wie oft? Was machst du nie?

Wähl aus und schreib passende Antworten. Du kannst auch eigene Beispiele finden.

> Geburtstag feiern ○ schwimmen gehen ○ shoppen gehen ○
> lange frühstücken ○ mich duschen ○ ins Museum gehen ○ Milch trinken ○
> … trainieren ○ blöde Fragen stellen ○ mein Zimmer aufräumen ○ mit Freunden
> quatschen ○ an die Zukunft denken ○ nachts träumen ○ meinen Geburtstag
> vergessen ○ Fahrrad fahren ○ Klavier spielen ○ in den Bergen wandern ○ …

..Mit Freunden quatsche ich jeden Tag................................ immer

.................................................................

.................................................................  nie

.................................................................

# 12 Ticks und Tricks

## 1 Sammelleidenschaften ➡ KB: 1

Welche Aussagen passen zu wem?

|  | Hanno | Markus | Tamara | Anja |
|---|---|---|---|---|
| **Aussagen** |  |  |  |  |

1. Schon ganz lange sammle ich Ansichtskarten.

2. Fotos von Sportwagen sind meine Leidenschaft!

Hanno hat ... aus vielen Ländern.

Markus sortiert die ... in einem Fotoalbum.

Freunde schreiben ihr ... aus den Ferien.

Anja trinkt den Kaffee ohne ...

3. Ich sammle schon lange Briefmarken.

4. Ich fotografiere sie selbst.

5. Meine Freunde schreiben mir immer viele Karten.

6. Meine Leidenschaft ist das Sammeln von Zuckerwürfeln!

7. Ich habe Briefmarken aus der ganzen Welt!

8. Meine Familie und meine Freunde bringen mir neue Marken mit.

9. Im Café nehme ich immer den Zucker mit.

10. Besonders toll finde ich eine Karte von der Chinesischen Mauer.

## 2 Ausdrücke variieren ➡ KB: 2

Du kannst es so oder so sagen. Wie steht es in der Schülerzeitung? Notiere bitte.

**So steht es in der Schülerzeitung:**

1. Stefan *sammelt* Bananenaufkleber.　　　Stefan hat .................................................

2. Auf den Klebern *ist* der Bananenname.　　Auf den Klebern .........................................

3. Nur wenige kennen die *Sammlung von Stefan*.　Nur wenige kennen .................................

4. Im Moment *hat* er 255 Aufkleber.　　　Im Moment .............................................

5. Die Aufkleber *sind aus über 50 Ländern*.　Die Aufkleber ..........................................

6. Stefan will schnell *eine große Sammlung haben*.　Stefan will seine Sammlung .....................

### 3 Schlangenwörter

Im Deutschen kann man auch drei (oder mehr) Wörter zusammensetzen. Probier es aus.

die Banane ........................................ (+ **der** Aufkleber)   der Zucker

der Bananenaufkleber ........................ (+ **die** Sammlung)   ........................................

die Bananenaufklebersammlung .........   ........................................

der Computer   das Tier

........................................   ........................................

........................................   ........................................

die Banane ⟶ der Aufkleber

der Computer

der Zucker   der Würfel

**die** Sammlung

das Poster   das Tier

die Spiele (Pl.)

**Denk dran!**
Das letzte Wort bestimmt den Artikel.

Bananenaufklebersammlung

### 4 Interview mit Stefan ➡ KB: 2/3

**a** Du möchtest mit Stefan ein Interview für das Stadtradio machen. Ergänze die Fragen.

Wie heißt .................................... ?
Was sammelst .............................. ?
Warum sammelst ......................... ?
Wie viele Aufkleber .................... ?
Woher kommen ........................... ?
Warum haben alle ....................... ?
Warum suchst du ......................... ?
Zeigst du mir ............................... ?

**b** Spielt das Interview zu zweit.

# 12 Ticks und Tricks

## 5 Fragen und Antworten → KB: 4/5

Auf welche Fragen antwortet Kay?

1. ......................................? ○ Ich bin Kay.
2. ......................................? ○ In Dänemark
3. ......................................? ○ Eisstiele.
4. ......................................? ○ Schon 7 Jahre.
5. ......................................? ○ Die sind lang, dick, dünn, . . .
6. ......................................? ○ Weil ich die meisten Eisstiele besitze.
7. ......................................? ○ 443.
8. ......................................? ○ Weil ich im Guinnessbuch der Rekorde bleiben möchte.

## 6 Kay sammelt Eisstiele, weil . . .

**a** Verbinde bitte die Sätze.

will

möchte

Kay sammelt Eisstiele,

Der Junge wohnt in Dänemark,

Nur wenige Leute kennen Stefans Sammlung,

Der Eisstielsammler hat schon 443 Exemplare,

Christine findet Stefan verrückt,

Stefan möchte noch mehr Aufkleber,

Kay möchte noch mehr Eisstiele,

weil

er sie nicht oft
er Bananenaufkleber
er seine Sammlung vergrößern
seine Eltern Dänen
er das lustig
viele Leute aus der ganzen Welt
er ins Guinessbuch der Rekorde kommen

findet

zeigt

mithelfen

sind

sammelt

**b** Ergänze bitte die *weil*-Sätze.

| | Konnektor | Subjekt | | konjugiertes Verb |
|---|---|---|---|---|
| Kay sammelt Eisstiele, | weil | .................... | .................... | .................... |
| Stefan möchte noch mehr Aufkleber, | .................... | .................... | .................... | .................... (Modalverb) |
| Kay hat schon 443 Eisstiele, | .................... | .................... | .................... | .................... (trennbares Verb) |

**Nebensatzklammer**

**134** hundertvierunddreißig

**c** Jetzt kannst du die Regel ergänzen.

Im *weil*-Satz steht das konjugierte Verb
......................................................................

**Pass auf!**
Trennbare Verben:
mit|helfen
Viele Leute **helfen mit**.
…, weil viele Leute **mithelfen**.

**7** **Bist du ein Sammlertyp?** ➡ KB: 2–7

**a** Kreuz die zu dir passenden Antworten an.

---

**1. Du bist am Meer und siehst einen schönen Stein.**

☐ Du nimmst ihn mit, weil er gut auf deinen Schreibtisch passt. (C)
☐ Du lässt ihn liegen. (A)
☐ Du nimmst ihn für deinen Freund mit. (B)

---

**2. Im Fernsehen läuft ein Film über Sammelleidenschaften.**

☐ Du siehst gleichzeitig eine Jugendzeitschrift an. (A)
☐ Das Thema interessiert dich: Du vergisst die Zeit und kommst zu spät zum Training. (C)
☐ Du rufst deine Freundin an und erzählst ihr von dem Film. (B)

---

**3. Deine Mutter möchte, dass du dein Zimmer aufräumst und ein paar alte Sachen wegwirfst.**

☐ Du machst das, weil du Platz in deinem Zimmer brauchst. (A)
☐ Du hast keine Lust und siehst dein Fotoalbum an. (B)
☐ Du diskutierst mit deiner Mutter, weil du für die alten Sachen einen neuen Schrank brauchst. (C)

---

**4. Freunde haben dich auf eine Party eingeladen.**

☐ Du freust dich und nimmst deinen Fotoapparat mit. (C)
☐ Du gehst nicht auf die Party, weil du die anderen Gäste nicht kennst. (A)
☐ Du sprichst mit deinen Eltern, weil du ein kleines Geschenk mitbringen möchtest. (B)

---

**5. Deine Klasse geht ins Theater.**

☐ Du klebst die Theaterkarte in dein Tagebuch. (C)
☐ Das Theaterstück gefällt dir, weil es lustig ist. (A)
☐ Du sammelst das Geld für die Theaterkarten ein, weil du deinem Lehrer helfen möchtest. (B)

---

**6. In deiner Jugendzeitschrift interessiert dich vor allem:**

☐ die Seite mit deinem Horoskop, weil du neugierig bist. (B)
☐ die Posters von den Stars, weil du sie in deinem Zimmer aufhängst. (C)
☐ der Fotoroman, weil deine ganze Clique ihn liest. (A)

---

**b** Welcher Typ bist du? Lies die Typenbeschreibung.
Wenn du weniger als viermal A, B oder C hast, bist du ein Mischtyp.

| | |
|---|---|
| **4 bis 6-mal A: Typ A**<br>Du bist kein Sammlertyp, weil du neugierig bist und immer wieder etwas Neues ausprobieren möchtest. Du bist sehr ordentlich, dein Zimmer ist meistens aufgeräumt. | **4 bis 6-mal B: Typ B**<br>In deinem Zimmer gibt es viele Souvenirs von Reisen, Ausflügen, schönen Erlebnissen. Dir gefallen alte Sachen, aber für dich sind vor allem Gespräche mit Freunden, Eltern, Lehrern wichtig. |

**4 bis 6-mal C: Typ C**
Du bist ein Sammelfreak und kannst nichts wegwerfen. Oft bekommst du mit deinen Eltern Probleme, weil du die ganzen alten Sachen in deinem Zimmer hast. Sie verstehen einfach nicht, dass Sammeln deine Leidenschaft ist.

**c** Unterstreiche alle *weil*-Sätze in **a** und **b**. Achte auf das Verb am Satzende.

**8** **Erklärungen**

Lies die Aussagen und fasse sie in einem *weil*-Satz zusammen.

Hi! Ich bin Benjamin und spreche sehr gut Deutsch und Englisch. Warum? Meine Mutti kommt aus Österreich und mein Vater aus Amerika.

Hallo Leute! Ich bin Christiane. Ich möchte Italienisch lernen. Meine Eltern und ich fahren nämlich im Sommer immer nach Italien.

Hi! Ich bin Felicitas. Ich gehe heute noch shoppen. Ich muss ein Geburtstagsgeschenk für Lara kaufen.

Guten Tag! Mein Name ist Clara Fischer. Morgen gehe ich in Rikkis Schule. Da ist Elternsprechtag.

Benjamin spricht sehr gut Deutsch und Englisch, weil ...

Christiane möchte Italienisch lernen, weil ...

Felicitas ...

Frau Fischer ...

## 9 Was bringt den Jugendlichen Glück? → KB: 9

Ergänze bitte die Aussagen. Verwende dabei die Angaben im Kasten. Eventuell kannst du den Hörtext noch einmal hören. (CD 2, Track 40)

> es ist ein Geschenk von seinem Opa  ◦  beim Volleyballspielen  ◦
> es ist von seiner Fußballmanschaft  ◦  sie bekommt mit dem T-Shirt immer gute Noten

Janina hat immer ihren Teddybär dabei, weil er ........................................
................................................................ Glück bringt.

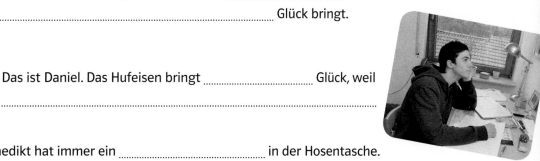

Das ist Daniel. Das Hufeisen bringt ........................................ Glück, weil
................................................................................................

Benedikt hat immer ein ........................................ in der Hosentasche.
Das ........................................ Glück, weil ........................................
................................................................................................

Das T-Shirt ........................................ Lara ........................................,
weil ................................................................................................
................................................................................................

## 10 Was glauben sie? Und was glaubst du? → KB: 10

Beantworte die Fragen zum Text „Sind Stars abergläubisch"? mit *dass*-Sätzen.

1. Was glauben abergläubische Jugendliche, Politiker, Prominente?
Sie glauben, dass ........................................................................
................................................................................................

2. Was glaubt der Fußballspieler Billy?
Er glaubt, ................................................................................
................................................................................................

3. Was glaubt Tina Turner?
Sie ........................................................................................
................................................................................................

4. Was glaubt Orlando Bloom?
................................................................................................
................................................................................................

**Und was glaubst du?** Was bringt dir Glück? Warum?
Ich glaube, **dass** ................................................................,
**weil** ................................................................................

> *dass* und *weil* leiten einen Nebensatz ein. Vor *dass* und *weil* steht ein Komma.
>
> → *dass*-Satz L 11, Ü 14

# 12 Ticks und Tricks

**11** **Nimm drei!** ➡ **KB:** 11

Welche Formen gehören zusammen? Verbinde sie und ergänze bitte die Tabelle.

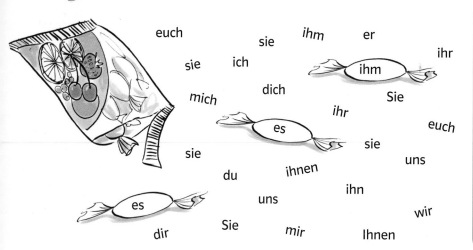

euch    sie    ihm    er

sie    ich    ihr

mich    dich    Sie    ihm

ihr

sie    es    euch

du    ihnen    uns    sie

uns    ihn

es    Sie    mir    Ihnen    wir

dir

| Personalpronomen | | |
|---|---|---|
| **Nominativ** | **Akkusativ** | **Dativ** |
| ich | mich | |
| du | | |
| er | ihn | |
| es | es | ihm |
| sie | | |
| wir | uns | |
| ihr | | euch |
| sie | | |
| Sie | Sie | |

**12** **Mich oder mir? – Das ist hier die Frage.**

Akkusativ oder Dativ – was passt? Kreuz bitte an.

| | mich | mir | |
|---|---|---|---|
| 1. Du liebst | | | . |
| 2. Du verstehst | | | . |
| 3. Du rufst | | | an. |
| 4. Du hilfst | | | . |
| 5. Du fragst | | | . |
| 6. Du antwortest | | | . |
| 7. Du lädst | | | ein. |
| 8. Du gefällst | | | . |

**13** **Ausdrücke variieren** ➡ **KB:** 10–14

Du kannst es so oder so sagen. Verwende die Dativ-Verben.

helfen  ◦  gehören  ◦
antworten  ◦  danken  ◦
gefallen

1. „Ich brauche deine Hilfe." ◦ *„Kannst du mir helfen?"* _____

2. „Frau Neumann, brauchen Sie Hilfe?" ◦ „Kann ich _____

3. Er findet seine Geburtskette sehr schön. ◦ Die Geburtskette _____

4. Mein Freund hat ein Hufeisen. ◦ Das Hufeisen _____

5. „Antworte bitte auf meine Frage." ◦ „_____ bitte."

6. „Danke, Katja." ◦ „Ich _____

## 14 Satzkombinationen

Verbinde die Sätze, die zusammengehören.

| | | |
|---|---|---|
| 1. Wem hilft der Engel? | a) Klar, das mache ich doch gern! | a) Er bringt ihm Glück. |
| 2. Wie war der Film? | b) Das ist vielleicht Renates Fahrrad. | b) Gehören sie wirklich ihnen? |
| 3. Wem gehören die Bücher? | c) Der war echt toll. | c) Heute helfe ich ihr beim Backen. |
| 4. Wir danken euch sehr! | d) Der Engel hilft Gert. | d) Ich erzähle sie euch morgen. |
| 5. Wem gehört das Fahrrad? | e) Die gehören Klaus und Maria. | e) Wir danken euch auch. |
| 6. Hilfst du deiner Mama? | f) Das haben wir doch gern für euch gemacht! | f) Ja, es gehört ihr. |
| 7. Erzählen Sie uns eine Geschichte? | g) Ja, ich helfe ihr oft. | g) Ich will ihn noch einmal sehen. |

## 15 Lottogewinn: Was schenkst du wem? Warum?  ➡ KB: 14

 **a** Schreib zehn Wörter für Geschenke auf einen Zettel. Tausch den Zettel mit deinem Partner / deiner Partnerin.

> meine Mama  ○  mein Papa  ○  die Klassenkameraden  ○
> meine Geschwister  ○  der Bruder von Petra  ○
> mein Opa / meine Oma  ○  der Nachbar / die Nachbarin  ○
> das Nachbarskind  ○  meine Freundin  ○
> mein Hund  ○  die Fische im Aquarium  ○  ich  ○
> der Lehrer / die Lehrerin  ○  …

**b** Fragt und antwortet wie in den Beispielen.

- ● *Wem schenkst du den Kalender?*
- ● *Den Kalender schenke ich meiner Oma.*
- ● *Warum?*
- ● *Weil sie immer das Datum vergisst.*

- ● *Was schenkst du deinem Papa?*
- ● *Meinem Papa schenke ich … / Ich schenke meinem Papa …*

> Das Verb bleibt immer auf Position II.
>
> Den Kalender **schenke** ich meiner Oma.
> Ich **schenke** meiner Oma den Kalender.
> Meinem Papa **schenke** ich eine Salami.

## 16 Dativ und Akkusativ im Satz

 **a** Ergänze bitte den bestimmten Artikel.

| Dativ | | Akkusativ |
|---|:---:|---|
| Singular: | | |
| **Dem** Bruder von Gert | | ............... Glücksbringer. (maskulin) |
| ............... Nachbarskind | schenke ich | ............... Spiel.         (neutral) |
| ............... Musiklehrerin |  | ............... CD.           (feminin) |
| Plural: | | |
| ............... Schulfreund**en** | | ............... Ansichtskarten. (m, n, f) |

**b** Was ist Akkusativ, was ist Dativ? Markiere in verschiedenen Farben.

1. Wem schenkst du die Fahne? ○ Die Fahne schenke ich meinem Bruder.
2. Und was schenkst du deiner Schwester? ○ Der schenke ich eine Tasche.
3. Und mir? Was gibst du mir? ○ Dir gebe ich das Poster.
4. Und wem gibst du den Tee und die Orangenmarmelade aus England?
    ○ Den Tee gebe ich Ingo und die Orangenmarmelade Anne.

> Verben mit
> Dativ und Akkusativ:
> **Wem?      Was?**
> Dir gebe ich das Poster.
> *(1. Person)   (2. Sache)*

## 17 Wortbausteine: Adjektive

Wie heißt das Gegenteil?

gesund

**Das Gegenteil**

humorvoll

gefährlich

sportlich

musikalisch

un-

.................................

.................................

.................................

.................................

.................................

fantasievoll

freundlich

pünktlich

modern

-los

.................................

.................................

.................................

.................................

> **Denk dran!**
> *un-* und *-los*
> drücken oft etwas
> Negatives aus.
> Aber: ungefährlich

## 18 Freundschaft in Gegensätzen

Ergänze die Reime. Schreib selbst zwei weitere Strophen.

### Du bist da und ich bin hier

Du bist da,
und ich bin hier

Du bist Riese,
ich bin Zwerg.

Du bist leicht,
und ich bin schwer

Du bist dunkel,
ich bin hell.

.................................

schnelllllllllllllllllllll

M<sub>EER</sub>M<sub>EER</sub>M<sub>EER</sub>

<sub>B</sub>E<sub>R</sub>G

TIER

Du bist Pflanze,
ich bin .................................

Du bist Tal,
und ich bin .................................

Du bist Land,
und ich bin .................................

Du bist langsam,
ich bin .................................

.................................

Du bist einsam,
ich allein,
Komm, wir wollen
Freunde .................................!

nach Frantz Wittkamp

## 19 Texte verstehen → KB: Lektion 13

Wer schreibt hier wem? Ordne zu.

**1**

Hi! Wer hilft
mir bei den
Hausaufgaben?
Ich verstehe
wieder mal
nichts ...
Antwortet
bitte!!!

**2**

E-MAIL SCHREIBEN

Liebe Eva,

heute war alles schrecklich! Ich habe eine
Englischarbeit geschrieben – das absolute
Chaos! Ich habe zu wenig gelernt … Es war
echt schlimm. Wie geht's dir? Hast du auch
schon ein paar Schularbeiten geschrieben?

**4**

Liebe Schüler der 10c!
Vielen Dank für die Fotos. Echt super! Wir haben viel
gelacht. Euer Ausflug nach Bremen war wirklich nett.
Vielleicht macht ihr eure nächste Reise ja nach Salzburg …

**3**

Bin bei Tante Helli. Euer Mittagessen steht im
Backofen. Ihr müsst es nur noch warm machen.
Bin um 15 Uhr wieder zu Hause. Bussi!

**5**

E-MAIL SCHREIBEN

Sehr geehrter Herr Professor Monay,
mit viel Freude haben meine Schüler und ich
Ihren Brief gelesen. Alle waren begeistert
von Ihrer Idee, einen Mailkontakt mit einem
englischen Gymnasium zu beginnen …

- ☐ Die Schüler der 9b schreiben der 10c einen Brief.
- ☐ Jörg schreibt seinen Mitschülern eine SMS, weil er Hilfe bei Mathe braucht.
- ☐ Dorothea schreibt ihrer Freundin eine E-Mail, weil sie Probleme in der Schule hat.
- ☐ Ein Lehrer schreibt einem Kollegen eine E-Mail.
- ☐ Eine Mutter schreibt ihren Kindern einen Zettel.

## 20 Wörterrätsel

Wie lauten die Bezeichnungen richtig? Und was tun diese Leute?

die LeseTATER      ◉ Die ........................................................
das MatheNIEGE     ◉ Das ........................................................
der ComputerREFAK  ◉ Der ........................................................
der ItalienFNA     ◉ Der ........................................................
der MusikNUFRED    ◉ Der ........................................................

## 21 Was fehlt?

Ergänze bitte *ng* oder *nk*. Lies die Sätze dann laut.

O......el Fra......ist sehr schla......... Er liebt e......e Hosen, isst gern Schi.........en aus Fra.........reich und
tri........t nur Ora.........ensaft. Er ist immer pü.........tlich, manchmal anstre........end, aber nie la.........weilig.

# Meine Grammatik

## Nebensätze mit *weil*

Ergänze bitte mit eigenen Aussagen.

> Warum lernst du Deutsch?

> Weil ich deutsche Songtexte verstehen will.

| Hauptsatz | Nebensatz | | | |
|---|---|---|---|---|
| | Konnektor | Subjekt | | konjugiertes Verb |
| Ich lerne Deutsch, | weil | ................... | ................... | ................... |
| Ich sammle ...................., | ................... | ................... | ................... | ................... |
| Mein Glücksbringer ist ....................., | ................... | ................... | ................... | ................... |

**Nebensatzklammer**

## Personalpronomen im Dativ

Schreib Sätze mit den Verben. Bei diesen Verben ist die Person immer im Dativ.

> gefallen ◦ helfen ◦ gehören ◦ danken ◦ passen ◦ antworten

| | | |
|---|---|---|
| Hilfst du .................. | mir | bitte? .................. |
| .................. | dir | .................. |
| .................. | ihm | .................. |
| .................. | ihm | .................. |
| .................. | ihr | .................. |
| .................. | uns | .................. |
| .................. | euch | .................. |
| .................. | ihnen | .................. |
| Wie geht es .................. | Ihnen | , Herr Breuer? .................. |

**Dein Trick!**

| | Akk. | Dat. |
|---|---|---|
| wir | uns | uns |
| ihr | euch | euch |

Lädst du **uns** ein?
(einladen + Akk.)
Hilfst du uns?
(helfen + Dat.)

## Artikelwörter im Dativ

Ergänze bitte mit Nomen deiner Wahl.

| Ich schenke | de**m** / mein**em** / ein**em** .................. | einen .................. | **maskulin** |
|---|---|---|---|
| Ich gebe | de**m** / mein**em** / ein**em** Nachbarskind | ein .................. | **neutral** |
| Ich schreibe | de**r** / mein**er** / ein**er** .................. | eine .................. | **feminin** |
| Ich bringe | de**n** / mein**en** / – ..................**n** | .................. mit. | **Plural** |

# Mein Wortschatz

## Sammlerticks

Notiere im Assoziogramm, was du schon alles gesammelt hast und was du in Zukunft noch alles sammeln möchtest.

**Meine Sammelleidenschaften**

## Welcher Typ bist du? Welcher Typ ist dein Partner / deine Partnerin?

**a** Ordne die Eigenschaften zu.

> humorvoll ◦ faul ◦ mutig ◦ pünktlich ◦ unmusikalisch ◦ unpünktlich ◦
> unfreundlich ◦ fröhlich ◦ fleißig ◦ ordentlich ◦ hilfsbereit ◦
> lustig ◦ ernst ◦ traurig ◦ ängstlich ◦ chaotisch ◦ sportlich ◦
> freundlich ◦ musikalisch ◦ abenteuerlustig ◦ unsportlich

| meine **positiven** Eigenschaften | meine **negativen** Eigenschaften | seine / ihre **positiven** Eigenschaften | seine / ihre **negativen** Eigenschaften |
|---|---|---|---|
| .................... | .................... | .................... | .................... |
| .................... | .................... | .................... | .................... |
| .................... | .................... | .................... | .................... |
| .................... | .................... | .................... | .................... |
| .................... | .................... | .................... | .................... |

**b** Fragt und antwortet wie im Beispiel.

> Bist du ordentlich?

> Ja, sehr.

> Nein überhaupt nicht, ich bin eher chaotisch.

## Wer / Was gefällt dir?

Ergänze bitte.

.................... gefällt ....................

...................., ...................., .................... gefallen ....................

Mir gefällt auch, dass ....................

# Meilenstein 6

Die Reise geht weiter und du kannst wieder Meilensteine sammeln. Die Reise führt dich nun von München zum Bodensee. Zeichne deinen Weg auf der Landkarte auf Seite 4 ein.

München

Konstanz

## 1 Ich kann mich über Sammelleidenschaften unterhalten.

Ergänze den Dialog.

1.
..........................du auch
......................?

Telefonkarten

Nein, .................................
................................ .

3.
.....................................
......................?

Filmposter

4.
214.

?

5.
So viele! .............................
......................?

6.
Schon drei Jahre.

......... / 6

## 2 Ich kann Hauptaussagen in Texten verstehen.

Lies die Leserbriefe aus einer Jugendzeitschrift. Auf welche Frage antworten alle drei Jugendlichen? Kreuz die richtige Frage an.

a) Was ist dein Lieblingssport?     b) Bist du sportlich?     c) Lebst du gesund?

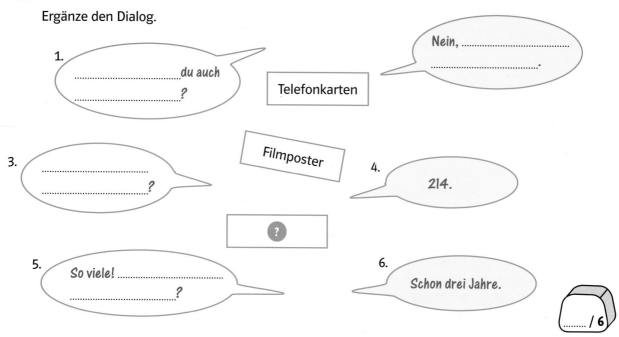

In meiner Freizeit bewege ich mich sehr viel: Ich gehe mit unserem Hund oft in den Wald oder treffe mich mit meiner Freundin zu einem Einkaufsbummel in der Stadt. Viel gehen, das ist auch eine Art Sport – oder?
Caro

Sport ist für mich sehr wichtig: Am Wochenende gehe ich auf den Fußballplatz, da spielt meine Lieblingsmannschaft. Und im Fernsehen sehe ich jeden Abend die Sportschau.
Marcel

Ich mache sehr viel Sport: Im Sommer schwimme ich, im Winter fahre ich Schi. Außerdem spiele ich zweimal wöchentlich in unserer Jugendvolleyball-Mannschaft. Wir sind sogar Kreismeister.
Amanda

......... /3

## 3 Ich kann Zustimmung und Widerspruch ausdrücken.

Sag deine Meinung mit je einem *dass*-Satz.

*Zu viel Sport ist ungesund.*

Fußballspiele im Fernsehen sind langweilig.

Ich finde auch, ...................................................................................................................

Ich finde nicht, ...................................................................................................................

......... /4

## 4 Ich kann über meine Lieblingssportart berichten.

Schreib deinem E-Mail-Partner / deiner E-Mail-Partnerin, welchen Sport du machst und wie oft.
Schreib mindestens vier Sätze und vergiss die Anrede und die Grüße nicht.

| E-MAIL ‗ □ ☒ |
| --- |
| ............................................................ |
| ............................................................ |
| ............................................................ |
| ............................................................ |
| ............................................................ |
| ............................................................ |
| ............................................................ |

 ........ / 10

## 5 Ich kann im Wörterbuch den Artikel eines Wortes erkennen.

Notiere die Artikel.

............. Quark

............. Radieschen

............. Gurke

• **Quạrk** [kvark] <-s> *kein pl der* **1.** (= ÖSTERR *Topfen*) ein Lebensmittel aus Milch, das die Form eines weißen, festen Breis hat *gern ~ essen* **2.** (*umg pej*) Quatsch, Unsinn *Erzähl doch keinen ~!* **Komp:** *-speise*

**Ra·dies·chen** [ra'diːsçən] <-s, -> *das* Pflanze in Form einer kleinen Kugel, die außen rot und innen weiß ist und scharf schmeckt *~ waschen*

**Gụr·ke** ['ɡʊrkə] <-, -n> *die* ein längliches Gemüse mit grüner Schale *eine ~ schälen* **Komp:** *-nsalat*

 ........ / 3

## 6 Ich kann andere nach ihrem Befinden fragen und über mein Befinden Auskunft geben.

**a** Frag, wie sie sich fühlen.

Frau Schneider, .....................
..................................... jetzt?

Hi, Olga, .....................
..................... heute?

Hallo, ihr zwei, .....................
..................................... ?

**b** Und wie fühlst du dich heute?

⦿ ...................................................................................

 ........ / 8

## 7 Ich kann etwas begründen.

Formuliere zwei Sätze mit *weil*.

Ich sammle ................................., weil ..........................................

Ich mache / spiele ................................., weil ..........................................

 ........ / 6

**Wie viele Meilen hast du gesammelt?**
**Bis 20 Meilen:** Du brauchst neue Energie. Setz dich erst mal in den Englischen
Garten und ruh dich aus. Wiederhol dann die Übungen von Lektion 11 und 12.
**21–30 Meilen:** Gut gemacht! Du darfst weiter zum Bodensee fahren.
**31–40 Meilen:** Super! Du bist fit und darfst zur Belohnung eine Schifffahrt auf dem See
unternehmen.

 ........ / 40

# Meilenstein 1–6: Lösungen

## Meilenstein 1

**1** 1. Hallo! … Und wer bist du? 2. … Wie geht's? 3. … Und dir?

**2** *Zum Beispiel:* Hallo, ich bin / heiße Laura. Ich bin 13 (Jahre alt). Ich wohne in … Ich mag Musik und Computerspiele. Mein Lieblingsfach ist Geografie.

**3** Deutsch finde ich ganz gut / okay. Mathematik finde ich super / toll / interessant. Chemie finde ich langweilig / uninteressant / blöd.

**4** Er / Sie malt / tanzt / rechnet / zeichnet / turnt / singt …

**5** Klasse: 4d; Alter: 14; Lieblingstag: Donnerstag; Lieblingsfach: Mathematik; Hobbys: Basketball, Tennis, malen

**6** Nein, im Internetcafé ist keine Tafel. Ja, im Mäppchen ist ein Radiergummi. Nein, im Deutschraum ist kein Mikroskop. Nein, im Rucksack ist keine Landkarte.

**7** 1. Was; 2. Wie; 3. Wie; 4. Wie; 5. Wann; 6. Was; 7. Woher; 8. Wo; 9. Wer

**8** 20, 6, 12, 19

## Meilenstein 2

**1** 1. a, b; 2. b, c; 3. a, b; 4. a, c

**2** Jugendliche: Hörst du gern Popmusik?; Hast du viele Hobbys?; Trinkst du Kaffee?
Erwachsene: Hören Sie gern Popmusik?; Haben Sie viele Hobbys?; Trinken Sie Kaffee?

**3**

| Name | Hobby | Augen | Haare | Figur |
|------|-------|-------|-------|-------|
| Joachim | singen, tanzen | schwarz | dunkelblond | groß, schlank |
| Carina | tanzen, Gitarre spielen | schön, grün | kurz, rot | klein |

**4** 2. Wie alt ist Sofia? 3. Woher kommt Sofia / sie? 4. Wo wohnt Sofia / sie? 5. Was mag Sofia / sie? 6. Wann ist das nächste Fußballspiel?

**5** sind; heißen; spielt; sammelt; malt; turnt; Hast; schreibe

**6** spricht; liest; fährt; isst

**7** 2. Die; 3. Er; 4. Es; 5. der / mein; 6. sie; 7. das / dein, es; 8. das, Es, die

## Meilenstein 3

**1 a** Wie viel Uhr ist es? / Wie spät ist es?

**1 b** 2. zehn vor zwölf; 3. Viertel nach drei; 4. halb acht; 5. Viertel vor zehn; 6. Mitternacht / null Uhr / zwölf Uhr

**2** *(für jeden Satz 2 Punkte)* 1. Ich stehe um 7 Uhr auf. 2. Die Schule fängt um halb 9 an. 3. Um halb eins gehe ich nach Hause. 4. Um ein Uhr esse ich zu Mittag. 5. Von 2 bis 3 Uhr mache ich Hausaufgaben. 6. Nachmittags / Am Nachmittag treffe ich Freunde. 7. Abends / Am Abend sehe ich fern.

**3** *(für jeden Satz 2 Punkte)* 1. Wie heißt der Film? 2. Wo läuft der Film? 3. Wann läuft der Film? 4. Um wie viel Uhr / Wann beginnt der Film / fängt der Film an? 5. Wie ist der Film?

**4** 1. – C; 2. – A; 4. – B *(Aussage 3 passt nicht.)*

**5 a** *(für jede Lösung 1/2 Punkt)* 1. Apfelsaft / Orangensaft / Kuchen / Toast; 2. ein; 3. einen, Mineralwasser / Eis

**5 b** zahlen: 1, 3; Trinkgeld: 4, 5

**6** *(je 1/2 Punkt):* Musst; Darfst; Dürfen; Müsst; muss; darf

## Meilenstein 4

**1**  a) der Winter; b) der Frühling; c) der Sommer; d) der Herbst

**2**  a) Bringt CDs mit! b) Organisiert ein Buffet! c) Back einen Kuchen! d) Lies eine Geschichte vor!

**3**  *Zum Beispiel:*

> Liebe Frau…
>
> am Freitagnachmittag machen wir ein Klassenfest. Es beginnt um 15 Uhr. Wir möchten Sie einladen.
> Zuerst machen wir eine Theateraufführung, dann gibt es ein Flötenkonzert. Danach machen wir eine
> Pause. Es gibt Getränke und Kuchen. Zum Schluss machen wir eine Tombola. Hoffentlich haben Sie Zeit.

**4**  *Zum Beispiel (für jeden Satz 2 Punkte):*
- Ja, ich komme gern. / Ja, gern. / Ja, ich komme. / Danke, das ist nett. Ich komme gern.
- Tut mir leid, ich habe keine Zeit / ich kann nicht.

**5**  1. einen, eine, Sie; 2. ihn; 3. ein, dich; 4. euch; 5. Sie; 6. Er, sie; 7. Den, der / er

**6**  Belegte Brote: 89 %; Äpfel, Bananen, …: 68 %; Süßes: 27 %

**7**  1. b); 2. c); 3. a); 4. b)

**8**  weit; teuer; oben; schlecht; rechts

## Meilenstein 5

**1**  *Zum Beispiel:* 2. Ich wohne in einem Reihenhaus / in einer Wohnung am Stadtrand / in einer Wohnung im 4. Stock / im Stadtzentrum / auf dem Land / in einem Einfamilienhaus / in einem Hochhaus im 12. Stock / …; 4. Nicht so gut. Die Wohnung ist ein bisschen laut. /  Sehr gut! Das Haus ist klein, aber schön. / … *(Je nach Satzumfang Punkte verteilen.)*

**2**  3. – Mehr Spaß zu zweit! 1. – Der Super-Treff! 2. – Schluss mit dem Stress!

**3**

> 5. Juli
>
> Liebe Mara,
> ich bin (mit meinen Eltern) am Meer / in den
> Bergen / in einem Nationalpark. Ich wohne
> (Wir wohnen) auf dem Campingplatz / in einem
> Jugendhotel / auf einem Bauernhof / bei
> meinen Großeltern.
> Ich schwimme / wandere / lese viel. Es ist
> toll / wunderbar / fantastisch hier.
> Viele Grüße, dein / deine …
>
> An
> Mara Sauter
> Kirchgasse 12
> 37081 Gießen
>
> Deutschland

**4**  *(Jede markierte Lösung: 1 Punkt)* <u>am</u> Fenster; <u>An der</u> Wand <u>neben dem</u> Fenster; <u>Im</u> Regal; <u>Über dem</u> Regal; <u>Auf dem / Unter dem</u> Schreibtisch

**5**  1. nach Deutschland; 2. in Berlin; 3. in der Stadt; 4. ans Meer; 5. in der Natur

**6**  habe … gemacht; bin … gefahren; habe … gesehen; habe … gekauft; bin … gegangen; haben … gespielt

## Meilenstein 6

**1**  1. Sammelst du auch Telefonkarten / Filmposter / …? *(1 Punkt)* 2. Nein, ich sammle … *(1 Punkt)*
3. Wie viele hast du (schon)? *(2 Punkte)* 5. Wie lange sammelst du schon? *(2 Punkte)*

**2**  b) Bist du sportlich?

**3**  *Zum Beispiel:* Ich finde auch, dass Fußballspiele im Fernsehen langweilig sind. / Ich finde nicht, dass Fußballspiele im Fernsehen langweilig sind.
Ich finde auch, dass zu viel Sport ungesund ist. / Ich finde nicht, dass zu viel Sport ungesund ist.

**4**  *Für jeden richtigen Satz bekommst du 2 Punkte, für Anrede und Schluss je einen Punkt.*
*Du kannst Verbformen im KB, S. 150 überprüfen.*

**5**  der Quark, das Radieschen, die Gurke

**6 a**  Hi Olga, wie fühlst <u>du dich</u> heute? Frau Schneider, wie fühlen <u>Sie sich</u> jetzt? Hallo, ihr zwei, wie fühlt <u>ihr euch</u>?

**6 b**  <u>Ich</u> fühle <u>mich</u> schlapp / fit / super / …

**7**  *Zum Beispiel (für jeden Satz 3 Punkte):* Ich sammle Briefmarken, weil ich gern reise. / Ich mache oft Sport / spiele oft Tennis, weil ich kein / keine Couchpotatoe sein möchte.

## Bildquellen

Umschlag: Stockbyte, Tralee, County Kerry ● S. 5.1: MEV, Augsburg ● S. 5.2: Picture-Alliance (Zabel), Frankfurt ● S. 5.3: MEV, Augsburg ● S. 5.4: MEV, Augsburg ● S. 5.5: MEV, Augsburg ● S. 5.6: MEV, Augsburg ● S. 5.7: obs (Rock am Ring), Hamburg ● S. 5.8: Getty Images RF (Photodisc), München ● S. 5.9: Deutsches Museum, München ● S. 9.1: Fotosearch RF (BrandXPictures RF), Waukesha, WI ● S. 9.2: Getty Images RF (Photodisc), München ● S. 10.1: Avenue Images GmbH (Rubberball), Hamburg ● S. 11.1: ČTK Archiv ● S. 11.2: NP Buchverlag, St. Pölten ● S. 13.1: Klett-Archiv (Studio Leupold), Stuttgart ● S. 16.1: Klett-Archiv, Stuttgart ● S. 16.2: iStockphoto (RF), Calgary, Alberta ● S. 17.1: creativ collection, Freiburg ● S. 17.2: MEV, Augsburg ● S. 17.3: Thorka GmbH McNeill, Hainburg ● S. 17.4: MEV, Augsburg ● S. 17.5: MEV, Augsburg ● S. 17.6: MEV, Augsburg ● S. 17.7: iStockphoto, Calgary, Alberta ● S. 19.1: Fotosearch RF (Brand X Pictures), Waukesha, WI ● S. 20.1: Klett-Archiv, Stuttgart ● S. 22.1: MEV, Augsburg ● S. 24.1: Klett-Archiv (Studio Leupold), Stuttgart ● S. 26.1: Avenue Images GmbH (Rubberball), Hamburg ● S. 26.2: Avenue Images GmbH (Rubberball), Hamburg ● S. 28.1: Imageshop RF, Düsseldorf ● S. 30.1: Klett-Archiv (Studio Leupold), Stuttgart ● S. 30.2: Klett-Archiv (Studio Leupold), Stuttgart ● S. 30.3: Klett-Archiv (Studio Leupold), Stuttgart ● S. 30.4: Klett-Archiv (Studio Leupold), Stuttgart ● S. 30.5: Klett-Archiv (Studio Leupold), Stuttgart ● S. 30.6: Klett-Archiv (Studio Leupold), Stuttgart ● S. 30.7: Klett-Archiv (Studio Leupold), Stuttgart ● S. 32.1: Fotosearch RF (Brand X Pictures), Waukesha, WI ● S. 34.1: Bananastock RF, Watlington / Oxon ● S. 34.2: Getty Images RF (Photodisc), München ● S. 37.1: Klett-Archiv, Stuttgart ● S. 37.2: Image Source, Köln ● S. 37.3: Bananastock RF, Watlington / Oxon ● S. 37.4: MEV, Augsburg ● S. 40.1: Klett-Archiv, Stuttgart ● S. 40.2: Klett-Archiv, Stuttgart ● S. 40.3: Klett-Archiv, Stuttgart ● S. 40.4: MEV, Augsburg ● S. 40.5: Getty Images RF (Photodisc), München ● S. 40.6: Unbekannter Lieferant, Stuttgart ● S. 40.8: MEV, Augsburg ● S. 40.10: MEV, Augsburg ● S. 40.11: Otto Versand, Hamburg ● S. 42.1: Klett-Archiv, Stuttgart ●

S. 42.2: Klett-Archiv|Stuttgart ● S. 42.3: Klett-Archiv, Stuttgart ● S. 48.1: Klett-Archiv (Mal Smith), Stuttgart ● S. 48.2: Avenue Images GmbH (Rubberball), Hamburg ● S. 50.1: Das Fotoarchiv (RF), Essen ● S. 50.2: Das Fotoarchiv (RF), Essen ● S. 51.1: Klett-Archiv, Stuttgart ● S. 51.2: Klett-Archiv, Stuttgart ● S. 51.3: Klett-Archiv, Stuttgart ● S. 51.4: Klett-Archiv, Stuttgart ● S. 51.5: Klett-Archiv, Stuttgart ● S. 51.6: Klett-Archiv, Stuttgart ● S. 51.6: Fotosearch RF (Photodisc), Waukesha, WI ● S. 52.1: Klett-Archiv, Stuttgart ● S. 55.1: Das Fotoarchiv (RF), Essen ● S. 57.1: Das Fotoarchiv (RF), Essen ● S. 57.2: Stockbyte, Tralee, County Kerry ● S. 57.3: Das Fotoarchiv (RF), Essen ● S. 57.4: Fotosearch RF (Bannastock), Waukesha, WI ● S. 64.1: MEV, Augsburg ● S. 66.1: Klett-Archiv (Studio Leupold), Stuttgart ● S. 71.1: Klett-Archiv (Studio Leupold), Stuttgart ● S. 75.1: MEV, Augsburg ● S. 78.1: Klett-Archiv, Stuttgart ● S. 78.2: Klett-Archiv, Stuttgart ● S. 78.3: MEV, Augsburg ● S. 78.4: Klett-Archiv, Stuttgart ● S. 78.5: MEV, Augsburg ● S. 78.6: Otto Versand, Hamburg ● S. 78.7: Klett-Archiv (Silberzahn), Stuttgart ● S. 78.8: Klett-Archiv (Studio Leupold), Stuttgart ● S. 78.9: Klett-Archiv, Stuttgart ● S. 78.10: Getty Images RF (Photodisc), München ● S. 78.11: MEV, Augsburg ● S. 78.12: Image Source, Köln ● S. 78.13: Fotosearch RF (Digital Vision), Waukesha, WI ● S. 78.14: Bananastock RF, Watlington / Oxon ● S. 78.15: Getty Images RF (Photodisc), München ● S. 78.16: Image Source, Köln ● S. 78.17: Fotosearch RF (Digital Vision), Waukesha, WI ● S. 79.1: Avenue Images GmbH (Digital Vision), Hamburg ● S. 80.1: Klett-Archiv, Stuttgart ● S. 80.2: Image 100, Berlin ● S. 80.3: Klett-Archiv (Studio Leupold), Stuttgart ● S. 81.1: Klett-Archiv, Stuttgart ● S. 81.2: Klett-Archiv, Stuttgart ● S. 81.3: Klett-Archiv, Stuttgart ● S. 81.4: Cafe Konditorei Diglas, Wien ● S. 83.1: Fotosearch RF (Rubberball), Waukesha, WI ● S. 85.1: MEV, Augsburg ● S. 85.2: MEV, Augsburg ● S. 87.1: Fotosearch RF (Photodisc), Waukesha, WI ● S. 87.2: Ingram Publishing, Tattenhall Chester ● S. 87.3: MEV, Augsburg ● S. 87.4: Klett-Cotta, Stuttgart ● S. 87.5: MEV, Augsburg ● S. 87.6: MEV, Augsburg ● S. 87.7: Klett-Archiv, Stuttgart ● S. 87.8: Avenue Images GmbH (Rubberball), Hamburg ● S. 87.9: Klett-Archiv (Studio Leupold),

Stuttgart ● S. 89.1: Klett-Archiv, Stuttgart ● S. 89.2: Klett-Archiv, Stuttgart ● S. 89.3: Klett-Archiv, Stuttgart ● S. 89.4: Klett-Archiv, Stuttgart ● S. 89.5: MEV, Augsburg ● S. 89.6: Picture-Alliance (Keystone/Fenton), Frankfurt ● S. 89.7: MEV, Augsburg ● S. 89.8: Klett-Archiv, Stuttgart ● S. 89.9: MEV, Augsburg ● S. 89.10: Klett-Archiv, Stuttgart ● S. 89.11: Corbis (Hird/Reuters), Düsseldorf ● S. 89.12: MEV, Augsburg ● S. 89.13: Cinetext, Frankfurt ● S. 89.14: Klett-Archiv, Stuttgart ● S. 89.15: Picture-Alliance (Cavanaugh), Frankfurt ● S. 91.1: Klett-Archiv, Stuttgart ● S. 96.1: Image 100, Berlin ● S. 96.2: Bananastock RF, Watlington / Oxon ● S. 100.1: MEV, Augsburg ● S. 100.2: Klett-Archiv, Stuttgart ● S. 102.1: Klett-Archiv, Stuttgart ● S. 103.1: Klett-Archiv, Stuttgart ● S. 103.2: MEV, Augsburg ● S. 103.3: Klett-Archiv, Stuttgart ● S. 103.4: Klett-Archiv, Stuttgart ● S. 103.5: Ingram Publishing, Tattenhall Chester ● S. 103.6: MEV, Augsburg ● S. 103.7: iStockphoto, Calgary, Alberta ● S. 103.8: MEV, Augsburg ● S. 103.9: Klett-Archiv, Stuttgart ● S. 103.10: Klett-Archiv, Stuttgart ● S. 105.1: Klett-Archiv, Stuttgart ● S. 105.2: Klett-Archiv, Stuttgart ● S. 105.3: Fotosearch RF (Photodisc), Waukesha, WI ● S. 105.4: Klett-Archiv, Stuttgart ● S. 105.5: MEV, Augsburg ● S. 105.6: MEV, Augsburg ● S. 112.1: MEV, Augsburg ● S. 112.2: Klett-Archiv, Stuttgart ● S. 112.3: Klett-Archiv, Stuttgart ● S. 112.4: MEV, Augsburg ● S. 112.5: Fotosearch RF (Photodisc), Waukesha, WI ● S. 113.1: Klett-Archiv (Jung), Stuttgart ● S. 113.2: MEV, Augsburg ● S. 116.1: MEV, Augsburg ● S. 116.2: Deutsches Jugendherbergswerk, Detmold ● S. 116.3: Deutsches Jugendherbergswerk, Detmold ● 116.4: Deutsches Jugendherbergswerk, Detmold ● S. 120.1: Corel Corporation, Unterschleissheim ● S. 121.1: Klett-Archiv, Stuttgart ● S. 124.1: Avenue Images GmbH (RF/ BananaStock), Hamburg ● S. 124.2: Klett-Archiv, Stuttgart ● S. 123.1: Klett-Archiv, Stuttgart ● S. 127.1: Klett-Archiv (Fotostudio Gallandi), Stuttgart ● S. 127.2: Klett-Archiv (Fotostudio Gallandi), Stuttgart ● S. 127.3: Klett-Archiv (Fotostudio Gallandi), Stuttgart ● S. 128.1: Klett-Archiv, Stuttgart ● S. 128.2: Klett-Archiv, Stuttgart ● S. 128.3: Klett-Archiv, Stuttgart ● S. 128.4: Klett-Archiv, Stuttgart ● S. 128.5: Klett-Archiv,

Stuttgart ◉ S. 132.1: JupiterImages (RF/pho-tos.com), Tucson, AZ ◉ S. 132.2: Dreamstime (RF), Brentwood, TN *S. 132.3: Avenue Images GmbH (RF / Image Source), Hamburg ◉ S. 132.4: JupiterImages (RF/photos.com), Tucson, AZ ◉ S. 133: Klett-Archiv, Stuttgart ◉ S. 134: JupiterImages (RF/photos.com), Tucson, AZ ◉ S. 136.1: JupiterImages (RF/photos.com), Tucson, AZ ◉ S. 136.2: Jupiterimages (RF/photos.com), Tucson, AZ; ◉ S. 136.3: iStockphoto (RF/ Levstek), Calgary, Alberta ◉ S. 136.4: iStock-photo (RF/Trifunovic), Calgary, Alberta ◉ S. 137.1: Klett-Archiv (Fotostudio Gallandi), Stuttgart ◉ S. 137.2: Klett-Archiv (Fotostu dio Gallandi), Stuttgart ◉ S. 137.3: Klett-Archiv (Fotostudio Gallandi), Stuttgart ◉ S. 137.4: Klett-Archiv (Fotostudio Gallandi), Stuttgart ◉ S. 145.1: Avenue Images GmbH (Rubberball RF), Hamburg ◉ S. 145.2: JupiterImages (RF/ photos.com), Tucson, AZ ◉ S. 145.3: iStockphoto (RF/ Chelnokova), Calgary, Alberta

**Textquellen**

Lektion 12, S. 140
Frantz Wittkamp: Du bist da und ich bin hier. Aus: Gelberg, Hans-Joachim (Hrsg.): Großer Ozean. Gedichte für alle. Weinheim, 2000 (aus dem Gedicht wurde eine Lückenübung entwickelt)
Lerktion 11, S.122 / Meilenstein 6, S. 144
PONS Basiswörterbuch, Deutsch als Fremdsprache
Ernst Klett Sprachen, Stuttgart 1999, S. 155, 301, 303